偏差値95の勉強法

頭のいい人が知っている「学びを自動化する技術」

粂原圭太郎
Kumehara Keitaro

ダイヤモンド社

「頭のいい人って、
どういうふうに勉強しているの？」

とよく聞かれますが、答えはシンプルです。
「ある力」を利用しています。
それは「**誰もが持っている力**」です。
成果は、その力を勉強に使えるか使えないかで
大きく変わります。

みなさんは、

「とにかく合格したい！」
「成績を上げたい！」

と目標を持って勉強に励んでいると思いますが、
こんな悩みにぶつかっていることでしょう。

続かない！

どんなにいいやり方を手に入れたとしても、
続かなければ意味がありません。
勉強を「すべり台」にたとえましょう。
勉強ができない人と勉強ができる人では、
同じすべり台でも異なる感情を抱いています。

こんなに違うのです!!

勉強ができない人

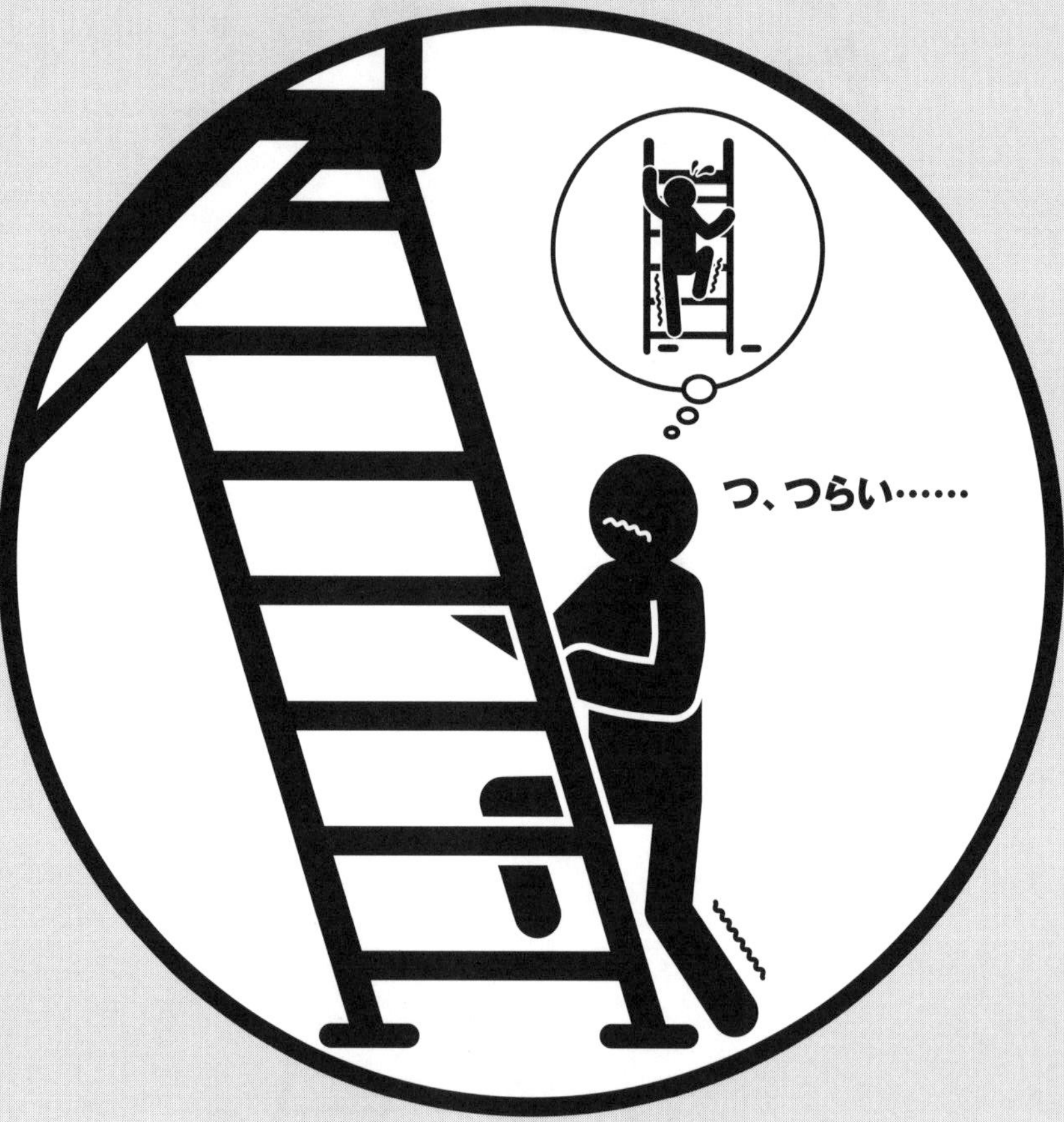

階段を上るのに苦労し、先が見えない

勉強ができる人

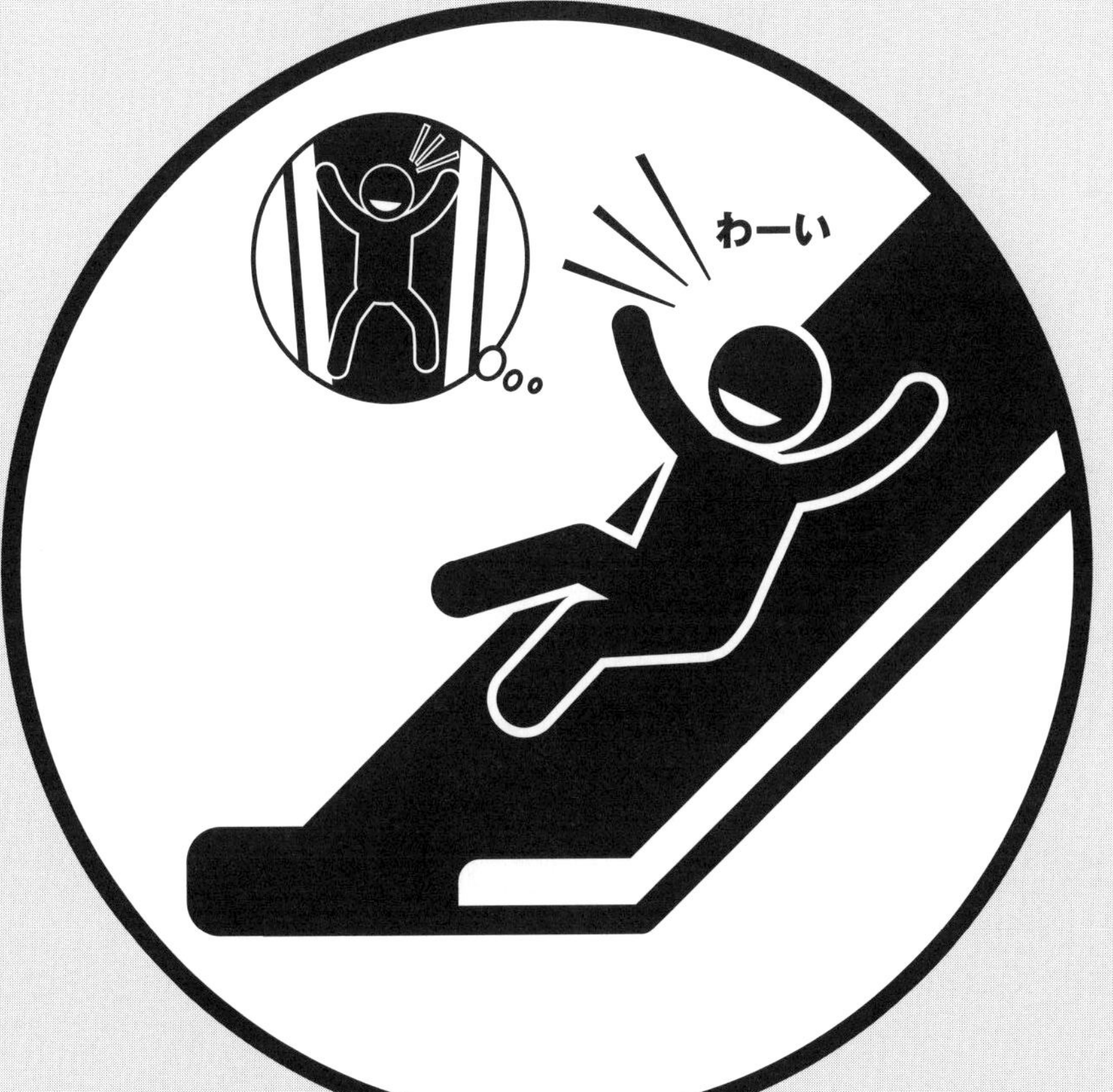

悠々自適にすべって、身をまかせて楽しんでいる

勉強ができない人は、勉強が苦痛で、
階段を上るのに苦労しています。
一方、勉強ができる人は階段をささっと駆け上がって、
一気にすべるイメージを持っています。
それが「**勉強のツボ**」なのです。

まさに、「**学びの自動化**」です。
すべり台に「すべって楽しむおもしろさ」と
「勝手に進むラクラク」があるように、
勉強も本来、始めたら止まらなくなるものです。

学びを自動化すると、
3つの力が同時に手に入ります！

「没頭力《ぼっとうりょく》（自らのめり込む）」

「論理力《ろんりりょく》（文脈で考えられる）」

「記憶力《きおくりょく》（つながりで覚えられる）」

本書で特にお伝えしたいのは、
「没頭力」のすごさです。
没頭力を発揮することで、3つのメリットが得られます。

「最短で結果が出る」
「1日が27時間になる」
「努力を努力と思わなくなる」

本書は、
「偏差値95」をマークした私が編み出した
「成功率95%」を誇る
「学びを自動化する技術」です。

次に紹介する11の勉強法を通して、
「没頭力」「論理力」「記憶力」が
同時にアップします！

学びが自動化する11の勉強法

今からでも遅くはありません。
勉強にハマる要素は、たくさんあります。
学びの楽しさを実感し、
目標を達成できる勉強法を手に入れてください！

はじめに

勉強も頭脳スポーツも「一番」になってわかった最強のスキル

みなさんは、「勉強」に対して、どんなイメージを持っていますか。

勉強を「すべり台」にたとえてみましょう。

多くの人がすべる以前に階段を上るのがつらく、苦労していると思いますが、勉強ができる人は、一度すべり始めたら、体が勝手にすべっていくイメージが先にきます。一度すべり始めたら、やめたくてもやめられない、学びが自動化するのです。

私は、勉強が「つらい」「苦しい」と思ったことは、ただの一度もありません。

むしろ、楽しくてしかたがなくて、今も勉強と関わり続けています。

私は高校時代に33万人に一人と言われる偏差値95をマークし、京都大学経済学部に首席

で合格しました。

小学校から続けている**競技かるたでは、「名人」という日本一の称号を手にし、初防衛を果たしました。**

勉強も頭脳スポーツも極めた私は今、マンツーマンで一人ひとりに最適な指導をするオンライン学習塾を経営しています。

指導には、偏差値95をとった漢文での自身の経験が生きています。

偏差値95は、たった2週間の勉強で達成しました。その2週間は、寝ても覚めても漢文のことばかり考えていて、まさに「漢文に没頭していた」のです。

この体験が、本書で紹介する「偏差値95の勉強法」に昇華されていきました。

すべての人を、没頭することで勉強がやめたくてもやめられない状態にするものです。

この精神状態にならないまま勉強しているから、多くの人が続かないのだと、わかりました。

思い返せば、京大主席合格も、競技かるた日本一も、苦しい思いに耐えながら努力して得た成果ではありません。

楽しいから、好きだから、自然にのめり込み、やり続けた末の結果に過ぎないのです。

そして、この「のめり込む力」「没頭する力」こそ、成果を出すために最も必要なことなのです。

頭のいい人ほど、「没頭力」を無意識に発揮している

京大の同級生たちや東大生、ほかの頭のいい人たちを見ていて気づいたのは、多くの人が、「没頭する力」、すなわち、**「没頭力」を無意識に発揮している**ということでした。

勉強に対してだけでなく、趣味や、他人にはちょっと理解できないようなこだわりの分野も含めて、何かにのめり込むということを日常的にやっていて、それが成果につながっているのです。

多くの勉強本が教えるのは、「効率のいいやり方」です。

もちろん、それも重要ですが、どんなに効率のいいやり方を学んだとしても、続けられなかったら成果を上げることはできません。

勉強を続けるためには、何よりもまず、その世界にのめり込むこと。つまらないものと思い込んでいる勉強を、楽しいものに変える工夫をすることです。

没頭するとどんどん楽しくなり、楽しければさらに没頭するようになります。

「没頭」と「楽しい」が両輪となって、ずっと続けていけるのです。

成功率95％の勉強法で、成績が上がる！

私はマンツーマン指導で、受講生の学力を把握して必要な教材を提示し、さらにやり方をアドバイスし、定期的にミーティングを行っています。

小学4年生から50代の社会人までの受講生が「試験合格」という目標に向かっているので、目標達成のための効率のいい方法も教えていますが、それよりもまず、心がけているのは「没頭」へと受講生たちを導くことです。

勉強を教えるというよりも、勉強が楽しくてひたすら没頭してしまうような状況をつくってあげることで、受講生たちは劇的に変わっていきました。

- 1か月でTOEIC®550点から750点に
- 1年で偏差値が35から70にアップし志望校に一発合格
- 3か月で定期テスト200位から2位に浮上

これらはほんの一部の例に過ぎません。これまで教えた受講生の95%が成績アップを実現しました。

この成功率が物語っているように、没頭することは誰にでもできます。

誰もが持っているこの「没頭」のスイッチの入れ方は、本書のなかで余すところなく伝えています。

一度「没頭」を手に入れたら、もう「向かうところ敵なし」と言っても過言ではありません。

のめり込むと楽しいので、自ら進んで勉強するようになります。どんどん新しい知識を吸収したくなります。

意識が変わり、見る目が変わるので、ほしい情報が勝手に飛び込んでくるようになります。

好きな勉強に時間をかけたいから、時間の使い方を工夫するようになります。

効率的なやり方をわざわざ学ばなくても、**自然と効率的に勉強するようになる**のです。

結果として、成績が上がるのは当然と言えるでしょう。

勉強がどんどん楽しくなり、続いてしまう！

本書では、私がマンツーマンで受講生に教える方法を、独学でもできるようなノウハウに体系化しました。

第1章では、没頭するための「マインド」について書いています。没頭するための心構えを知っていただくファーストステップです。

第2章では、没頭力だけではなく、論理力、記憶力もアップする具体的な方法を紹介しています。勉強にはこの3つの力が必要不可欠ですが、ここではとても簡単で誰にでもすぐできる方法ばかりをチョイスしました。すぐに身につけたい方は、第2章から読んでいただいてもかまいません。

第3章では、没頭するための仕組みづくりについてお話ししています。これをマスターすることで、勉強に対する苦手意識が消え、没頭できる状況をつくっていくことができます。

第4章では、勉強を楽しく続けるとっておきのコツをお伝えしています。突飛な発想と思われるようなものもあるかもしれませんが、勉強が楽しくなるのであればどんな方法でもかまわないというのが私の持論です。

そもそも、勉強は身構えてやるものではありません。

みなさんにも、もっと気楽に、ルールにしばられず、自由な発想で勉強と向き合ってほしい——本書には、そんなメッセージも込めています。

本書での私の役割は、みなさんが「すべり台」の階段を上るまでのサポートです。

あとはみなさんが、すべり台のてっぺんに座って、すべり出すだけです。

その先には、達成したいゴールが待ち受けています。

私がみなさんの夢をかなえます。

偏差値95の勉強法
頭のいい人が知っている「学びを自動化する技術」●目次

序章

どんな試験でも成績アップ！「成功率95%」の勉強法とは？

第1章 勉強が止まらない！「没頭力」を磨けば、誰でも合格できる！

第2章

論理力、記憶力、没頭力が同時にアップする勉強法

第3章 「できない」が「できる」に！苦手分野が得意分野に変わる

第4章 頭のいい人だけがやっている楽しく勉強を続ける習慣

序章

どんな試験でも成績アップ！「成功率95%」の勉強法とは？

圧倒的にずば抜けた「頭のいい人」と「凡人」の違い

世の中には、ずば抜けて頭がよく、常に良い成績をおさめている人がいます。

その一方で、勉強がなかなか好きになれず、成績や点数の向上に苦しんでいる人もいます。

この違いは、いったいどこにあるのでしょうか？

その答えは、「没頭」だと、私は考えます。

私は高校時代、漢文で偏差値95をマークしたことがあります。

こう書くと、「もともと頭がいいし、ずっと漢文の勉強をやっていたからでしょう？」と思われるかもしれませんが、それまで漢文の勉強はほとんどやっておらず、試験前のわずか2週間だけです。

けれども、その2週間は、ひたすら漢文の勉強をし、寝ても覚めても漢文のことばかり考えていました。

つまり、このときの私は、ものすごい勢いで「漢文に没頭」していたのです。

没頭で成績を急上昇させたのは、私だけではありません。

たとえば、2012年の「中国女子数学オリンピック」で日本人初の優勝を果たし、さらに連覇した葛西祐美《かさいゆみ》さんは、小学校のときに数学に魅了され、その後もずっと数学にのめり込み続けてきたそうです。その結果、東大理Ⅲに上位の成績で合格を果たしています。

トップクラスの成績を上げる人は、それだけ一つのものに没頭できる人だと言えるのではないでしょうか。

とはいえ、**「没頭」は、何も頭のいい人だけの特権ではありません。**

みなさんも、おそらく何かに没頭した経験があるはずです。

好きなアイドルの動画を見たり、ゲームをしていたりするときは、ほかのことを何も考えずにその世界に没頭していますよね。

そう、**没頭することは誰にでもできる**ことなのです。

ただ、「勉強はおもしろくないもの」というすりこみがあって、その没頭する感覚を勉強と結びつけられないだけなのです。

誰もが本来持っている没頭の力を勉強に活かすことさえできれば、どんどん勉強の世界に没入し、自ら先へ先へと進み続け、気がつけば結果を出している――そんなことも、夢ではありません。

私は塾の受講生たちにも、「没頭」を重視して教えています。

試験合格のための効率のいい勉強方法ももちろん教えます。しかし、それ以前に、大前提として必要なのが没頭だということに、たくさんの受講生たちと接していて改めて気づいたのです。

没頭することを意識しながら勉強した結果、受講生の95%が成績アップしました。残り5%は、私と一緒に勉強を始める前にやめてしまった受講生たちなので、実質的には全員の成績が上がったということになります。

私の塾では、マンツーマンで一人ひとりに最適な勉強法を伝授していますが、一つの特徴として、「毎日勉強の進捗状況を報告する」ことを受講生に課しています。

さらに、その日にやった勉強の内容を振り返ることが記憶の定着には必要不可欠なので、それもやったかどうかを報告してもらいます。

また、10日に1回ほど、オンラインで進捗の確認をしながら、疑問に思った点、進みが悪いと感じている点などを話してもらい、アドバイスをします。

現状の自分がどうなっているのかがわからないと質問さえもできません。ですから、受講生たちは自然に自分自身の現状を客観的に見つめ直すことが習慣になっています。この毎日の「セルフチェック」が、勉強にのめり込んでいくためには重要です（これらはすべて第2章で詳しくお話しします）。

たとえば、「レコーディングダイエット」は、毎日体重を記録するだけのダイエット法として有名ですが、ただ記録するだけではなく、「間食が多かったから体重が増えた」「ウォーキングの時間を増やしたから痩せた」など、その数字から体重の増減の原因を分析し、自分で改善するから成功するという一面もあります。

ダイエットがうまくいくと、毎日のチェックも楽しくなり、自動的に生活習慣も気にするようになっていきます。

勉強も同じで、日々やった内容をセルフチェックすることで、自分の現状がわかり、できていない部分が明らかになります。続けていくなかで、自分が伸びている感覚がつかめると「こんなにできているんだ！」という達成感が生まれ、ますます勉強に没頭できるようになるでしょう。

私がみなさん全員にマンツーマンで教えることはできませんが、この日々のチェックなら、一人でも、誰でもできます。

また、**勉強を続けていくには、試験に合格した後や夢を実現した後の「イメージを持つこと」も大切**です。

私はよく受験生に、「オープンキャンパスよりも、普通の日に志望の大学を見にいってごらん」とすすめています。普通の日のほうが、大学生の日常をよりイメージしやすく、そこにワクワク感を感じて自動的に勉強するようになるからです。

資格試験の勉強をされている方の場合は、合格した瞬間の喜びを具体的にイメージしてみることをおすすめします。実際に合格したと考え、ガッツポーズをしてみるとよりイメージが鮮明になります。また、試験合格によるメリットを紙に書き出してみるのも有効です。

あとは、「絶対にできる！」「自分ならやれる！」という自己肯定感も重要ということを付け加えておきます。

まずは、誰もが持っている「没頭」のスイッチを入れること。それが、どんな試験でも成果を出せる「成功率95％の勉強法」のファーストステップです。

「没頭力」を勉強に活かす3つのメリット

では、没頭する力＝「没頭力」を手に入れたら、どうなるでしょうか？

何かに没頭したときの経験を、思い出してみてください。やる気がみなぎり、超集中している状態にいるでしょう。

人間の脳はポジティブな気持ちで活動しているときほど、活発に働くと言われています。

そもそも集中が途切れることがありません。

そのような状態になると、3つのメリットが得られます。

1つ目は、**「最短で結果が出る」**ことです。

没頭していると、自分が持てる時間を最大限に使うようになります。**集中力が高い状態をキープしているので、より知識を吸収できるうえ、脳も活発に働いているので、記憶力もアップします。**

また、**常に意識が勉強に向いているため、必要な情報もどんどんキャッチできる**ようになります。そうなれば、当然成績は上がります。**遠回りせず、最短距離で確実に結果に到達できる**のです。

本書を読んでいる方は誰もが経験したことがあると思いますが、「やらなければならないこと」はついつい後回しにしてしまうのが人間という生き物です。

「やらなければならない」という「have to」から、「自ら進んでやりたい！」と思える「really want to」の状態に自分を持っていくことで、最短距離での目標達成が可能になります。

２つ目は、**「1日が27時間になる」**ような感覚を得られることです。

今、自分が没頭している勉強にもっと時間をかけたいがために、**勉強以外の時間の使い方を工夫する**ようになります。

たとえば、夕食を食べるのに30分かけていたのを25分にする、テレビを見ていた時間を全部勉強に充てるなど、より効率的に時間を使うと、１日の時間が延びたような感覚になり、24時間が27時間くらいに感じられます。

勉強にのめり込んだ結果、勉強時間が8時間から15時間に延びた受講生もいました。その人からしたら、１日が31時間に感じられるかもしれません。

没頭しているときは、時間の密度が濃く、そういう意味でも長く感じられます。また、新しい知識に触れているときも時間は長く感じられると言われています。歳をとるほど時間が経つのが早く感じられるのは、新しい情報がどんどん少なくなってきているからなのです。

3つ目は、**「努力を努力と思わなくなる」**ことです。

私は現在、競技かるたの名人位についています。競技かるた日本一ということで、「どんな練習をしていたんですか？」と聞かれることが多々あります。

小学校のときから毎日いろいろな練習をしていたのを伝えると、「すごい努力家なんですね」と、よく言われます。ですが、自分では努力をしたつもりはまったくないのです。楽しくて楽しくてしかたがなくて、続けていただけなのです。

「努力」という言葉には、「つらい」「苦しい」というイメージがつきまといます。確かに、スポーツなどの肉体的な練習はきついですが、かるたや将棋のような頭脳スポーツに関しては違います。

ある分野で成功している人の多くは、努力してきたという感覚がなく、楽しいから続けられたのです。

つまり、それこそが没頭している状態です。

もちろん努力はありますが、それはつらく苦しいものではなく、楽しくポジティブなもの。だから、努力を努力と思わなくなるのです。

以上の3つのメリットを手に入れれば、成績が上がらないなんてことはあり得ません。
魔法のように思うかもしれませんが、頭のいい人は当たり前に手に入れています。
私は、勉強が苦しいとか、難しいなんて一度も思ったことがありません。
没頭力さえあれば、みなさんもきっと思わなくなるはずです。

「勉強」にある依存ポイントを活用する

みなさんは、ゲームにのめり込んだ経験があるでしょうか。

「ゲームをやっている時間で勉強ができたらいいのに」「ゲームで使ったお金で教材を買ったほうがよっぽど身になったのに」などと、うしろめたい気持ちでいながらも、やめられないという人がいるかもしれません。

かくいう私も、京大に通っていたときに、戦国武将のキャラクター同士で戦うパズルゲームに夢中になり、時間もお金ものすごく使った経験があります。

とにかく、いいキャラを引きたくて1日10時間やり続け、1か月に10万円もつぎこんだり、ゲーム中に人に話しかけられて怒ったりしたこともあったくらいです。

今から振り返ると、そこまでのめり込まなくても……と思うのですが、当時は完全にゲームに「依存」していたのでしょう。

ゲームは、なぜそこまで人を夢中にさせるのでしょうか。

それは、**「すぐに達成感が得られる」**からです。

レベルや進み具合が瞬時に数字で表れるのはもちろんのこと、毎日リアルタイムでランキング争いをするゲームもあり、人を飽きさせないよう、とにかく短いスパンで達成感を得られるようにつくられています。

目に見える結果がすぐに出るからこそ、人はゲームに依存するのです。

依存といえば、ギャンブルもそうです。

パチンコをしていて、「このまま当たらなかったらどうしよう」と不安な気持ちでいっぱいになりますが、当たりを引くと「よかった、当たった！」と、ホッとしますよね。

このホッと安堵したとき、脳内にはβ－エンドルフィンという快楽物質が出ているといいます。

危機的な状況から脱したときの快楽を味わいたくて、また手を出してしまうのが、ギャンブルの仕組みです。それはゲームも同じと言えます。

また、「リーチが出れば当たる可能性がある」という脳の回路ができているので、それものめり込んでしまう原因です。

ここまで読んできて、みなさんはお気づきでしょうか。

ゲームやギャンブルにのめり込んでいる状態とは、前項の没頭力「3つのメリット」を手に入れた状態にとてもよく似ているのです。

「すぐに結果が出る」「時間の感覚を忘れるほど没頭する」「楽しいからずっと続けられる」、まさに同じ仕組みだと思いませんか。

ゲームやギャンブルをやめて勉強に専念しようと言っているわけではありません。**夢中**

になって抜けられない感覚は勉強にも持ち込める、と言いたいのです。そうすれば、勉強だって依存してやめられないほど楽しいものになるのです。

短いスパンで達成感を得られる仕組み

すでにお話ししたように、大多数の人には「勉強はおもしろくないもの」というすりこみがあります。だから、苦手意識が生まれてしまうのでしょう。

ですが、勉強にも、おもしろいポイントがあるのです。

もちろん、ゲームのようにはわかりやすくありませんが、確実にあります。そうでなかったら、これほど学問が発達することはなかったはずです。ノーベル賞を受賞しているような学者や研究者の方たちも、学問のおもしろさに気づき、そこにのめり込んでいった人たちと言えるでしょう。

彼らは、みなさんがゲームをおもしろいと思っているように、勉強をおもしろいと思っている人たちなのです。一度のめり込んだらこんなにおもしろいものはないと、私も思っています。

また、勉強は、ある程度のレベルまでいかないとおもしろさに気づけないという一面があります。

たとえば英語は、ずっとbe動詞だけ学んでいてもおもしろくないですが、文章が読めるようになってくると、そのおもしろさに気づき、さらに難しい文章にも挑戦したくなります。

そのような勉強のおもしろさに気づく前に挫折してしまうのは、あまりにももったいないことです。

苦手だと感じているものに、どうのめり込むか。その答えこそが、前項でお伝えした「ゲームに没頭する感覚を持ち込む」ことです。

勉強はゲームと違って、毎日のように目に見える結果が出るわけではありません。

受験勉強は先が長いものですし、模試やテストも数か月に1回レベルなので、ゲームのようにすぐに点数がわかるものではありません。

本当はおもしろいものなのに、のめり込むような仕組みにできていないのです。

それならば、**ゲームのように短いスパンで達成感を得られるように、その仕組みを変えればいい**のです。

ゲームに仕掛けられているたくさんの飽きさせない工夫、人を夢中にさせる要素を勉強に応用すればいいのです。

試験合格の最短ルートは「効率」より「没頭」

私は職業柄、SNSなどを通じていろいろな質問をもらうのですが、そのほとんどが「効率のいい勉強方法について教えてください」というものです。

効率を重視する気持ちは、私もよくわかります。

私自身、より効率的なやり方を求めて、中学・高校時代には500冊近く、勉強法に関連する本を読みまくっていました。けれども、それは単に効率だけを求めたからではありません。

勉強がおもしろくて、「大学受験」というゲームを攻略したくてのめり込んだ結果、より効率的に勉強できる方法を探したのです。

それに対して、質問してくる人たちは、ただ合格したいがために手っ取り早い方法を聞いてきているように見受けられます。

効率を意識しすぎると、結果を早く求めようとします。すぐに結果に表れなかったら、有効なやり方なのにやめてしまい、また別の方法を探す……というように、ノウハウのコレクターになりがちです。

また、効率ばかりを重視すると、勉強内容がおろそかになりかねません。内容よりも効率的にやることそのものが第一義になってしまい、本当は合格が目的なのに、「3月までに英文法を終わらせる」ことが目的になるなど、目的と手段が入れ替わる事態を招いてしまうのです。

そのような方法をとっている人は、勉強が身についていない場合が多く、それでは本末転倒です。

もちろん、すぐに成績が上がることも大事ですが、**まずは勉強をおもしろくすることを考え、それを続けていくことのほうが重要**だと私は考えます。

たとえば、川を渡ろうとするとき、それが最短距離だからと泳いで渡る人はなかなかいないでしょう。命の危険にさらされるリスクを負うよりも、遠回りでも橋を渡ったほうが確実です。「急がば回れ」です。それなのに、なぜか、勉強だとみんな泳ごうとしたり、泳ぐために体を鍛えたりと、どんどん違う方向に行ってしまっているように見えます。

着実に目的地に到達するためには、まずは「没頭」を第一にすることです。

没頭すると、もっともっとそこに時間をかけたいがために、自ずから効率のいい方法を探すようになり、そのほうが間違いなく早く成果が出ます。

あえて**効率を求めなくても、自動的に効率が手に入る**のです。

没頭に導くきっかけとして、私はいわゆる教材ではなく、漫画や本を読むことを受講生にすすめるようにしています。歴史だったら、それこそたくさんの漫画が出版されています。数学にまつわる興味深い話が書かれた本や映画『博士の愛した数式』などを観て、苦手だった数学のおもしろさに目覚めた人もいました。

これまで没頭を重視して教えてきた結果、受講生たちは飛躍的に伸びていきました。

- **勉強時間が3時間から10時間にアップ**
- **漢文の成績が1か月の勉強で県1位に**
- **英語の偏差値が1年で40から70になり、志望校に一発合格**
- **5年間不合格だった難関の税理士試験に合格**

小学4年生から50代の社会人まで、成功率はじつに95%です。

本書でこれからお伝えするのは、普段私が受講生に教えていることを一人でもできるようにした勉強法です。

繰り返しになりますが、効率よりも没頭することを優先すれば、資格取得、受験合格、点数アップ、目標達成、そのほか学ばなくてはいけないこと、覚えなくてはいけないこと、すべてにおいて最短ルートでゴールに到達できます。
ゲームでレベルアップしない人はいません。
それと同じように、この方法なら、勉強でも確実にレベルアップできます。
成績が上がらないわけがないのです。

第1章

勉強が止まらない！「没頭力」を磨けば、誰でも合格できる！

「飽きる」が勉強にのめり込む大事な要素

みなさんは勉強に取り組むとき、どこかでプレッシャーを感じ、身構えてはいないでしょうか。

趣味や好きなことだったらそんなふうに思わないのに、なぜか勉強だと肩の力が入ってしまいがちです。それは、勉強は「やらなくてはいけないもの」だと思い込んでいるからです。

本来勉強は、「絶対しなくてはいけないもの」ではありません。私もよく受講生に、「勉強をやらなくても死なないから、別にやらなくてもいいんだよ」と話しています。

けれども、この本を手にとったみなさんには、どこかにやりたいという気持ち、もっとできるようになりたいという気持ちがあるはずです。

それなら、その気持ちに向き合って、肩の力を抜いて、「まぁ飽きてもいいか」くらいの軽い気持ちで勉強に臨んでほしいです。

「飽きる」という言葉には、とかくマイナスなイメージがつきまといます。「飽きっぽいから勉強が続かない」と思っている人も多いかもしれません。

しかし、**「飽きる」ことは、勉強にのめり込むためには必要な要素**なのです。

「マルチ・ポテンシャライト」という言葉をご存じでしょうか。

「さまざまなことに興味を持ち、多くのことをクリエイティブに追求する人」という意味で使われています。

裏を返せば「飽きっぽい」「一つのことを続けられない」ととらえられてしまうかもしれませんが、このマルチ・ポテンシャライトには、3つの強みがあると言われています。

① 複数の分野を組み合わせる力がある

まったく違う分野のものを組み合わせて新しいものをつくったり、違う分野のもの同士の共通点を見出してそれをつなげることができたりします。

勉強に置き換えると、現代文と数学はまったく違う科目ですが、「論理的に読む」という点では共通するものがあります。

そこに気づけると、現代文を論理的に読む力を、数学の解説を読むことや、英語の長文の読解に応用することができ、受験勉強でもかなりのアドバンテージとなります。

② 行動が早い

マルチ・ポテンシャライトは、何かをやろうと思ったらすぐ行動に移します。

多くのことに興味を持ち、どの分野でも「初心者」であることが多いので、「初心者でいることに慣れている人」とも言えます。

このような人は、新しいことを始めることに抵抗がなく、しかも今まで培ってきた技術や知識を応用することに長けているため、一からスタートする人よりも早く学習することができます。

③ 適応する力が強い

常に新しい体験をしているため、どのような場面にも適応する能力があります。

状況に応じて自分の役割を変えることにも抵抗がありません。これはつまり、一つのものに固執せず、思い込みが少ないということです。柔軟な思考が、勉強でもプラスに働きます。

「すぐ飽きてしまってなかなか勉強が続けられない」という人も、マルチ・ポテンシャライトの素質があるのかもしれません。

それは、**さまざまなものに目を向けることができ、短い時間でもそれらに情熱を注いでのめり込んでいける特別な才能**と言えます。

2〜3歳くらいの小さな子どもを思い浮かべてみてください。

それくらいの年齢の子どもは、よく「飽きっぽい」と言われます。

確かに、積み木をやっていたかと思うと放り出し、テレビに見入っていたりしますが、それは、知らないことをとにかく知りたくて、何にでも興味を持つからです。

大人から見たら「どうして続けられないんだろう?」と思ってしまいますが、子どもはその瞬間瞬間で興味のあるものに没頭し、いろいろなことを吸収しています。ある意味、とても上達が早いのです。

それと同じように、飽きっぽい人も没頭できていないわけではなく、その時々に「濃く」没頭していると言えます。

その素晴らしい能力を勉強に活かさない手はありません。

「好きこそ物の上手なれ」が成果をつかむ

序章でもお話しした通り、「達成感を得る」ことは、勉強に没頭するうえで大事な要素です。

そして、**達成感を得るのに必要なのが「目標」**です。

目標を持っていない人、漠然とした目標しか持っていない人もいるかもしれませんが、成果を出すためには、具体的な目標が必要です。漠然としたままでは、道筋もゴールもわからず、達成したかどうかもわからないからです。

目標は、容易に手が届く範囲ではなく、「東大に合格！」「TOEICで100点アップ！」など、**達成できたらワクワクするような、高い目標であるほど効果があります。**

たとえ今の自分の実力とはかけ離れていても、「これが好き！」「やりたい！」と思ったことを、ある意味開き直ってやってみることが、没頭するためには重要なのです。

日常生活でも、「好きだけれど、できないから恥ずかしい」「人の目が気になって勇気を出せない」と思っていることがあるはずです。

たとえば、次のようなことです。

- ビリヤード、ダーツ、ボウリングなどのスポーツ

「周りがうまい人ばかりだから、恥ずかしい」

- 高級なバー

「お酒は好きだけれど、知識がないと入りづらい」

- 英会話

「間違えたら恥ずかしいし、バカにされてしまう」

- アイドル

「本当はコンサートに行って応援したいけれど、恥ずかしくてできない」

誰しも、似たような思いをしたことはあるでしょう。けれども、できないから、恥ずかしいからと行動に移さないままでは、何も始まりません。誰だって最初は初心者なのです。

私も、今でこそ人に勉強を教える仕事をしていますが、小学校のときはクラスで下から3番目の成績をとったこともありましたし、英語も英検5級すら受けられないレベルのときがありました。

それが、今では東大志望の子に教えたり、TOEIC®の教材をつくったりしています。

競技かるたも、小学校5年生から始めたのですが、周りはみんな幼稚園からやっていた子ばかりで最初は負けてばかりでした。また、競技かるたは、昔はマイナーだったので、やっていることが恥ずかしいという気持ちもありました。それが、漫画『ちはやふる』のヒットで人気となり、私自身も名人になり、成果をつかむことができました。

これも好きで没頭し、続けていたからこそです。

勉強も趣味も、「好きこそ物の上手なれ」だと私は考えます。

できなくても恥ずかしくてもいいから、開き直って一歩を踏み出してみてください。

好きな気持ちを持ち続けていれば、確実に上達につながっていきます。

人がハマっていることを「やらない」のはもったいない

以前、『さんまの東大方程式』（フジテレビ系）というテレビ番組に出演しました。そのときのテーマは、東大生と京大生が対決するというものでしたが、変わったものに熱中している人たちと出会いました。

京大医学部ながらボディビルにハマっている人、ふんどしのよさに目覚め、京大でふんどし同好会を立ち上げた人、生き物が好きで新種まで発見してしまった東大生……。

「勉強に没頭している人は、ほかのものにも没頭しやすいんだな」と思ったのと同時に、どんなものにも人を没頭させるほどのおもしろさがあることを感じました。

そもそも「没頭ってどういう感覚なのかわからない」という人は、だまされたと思って、**人が熱中していることを自分でもやってみる**ことをおすすめします。

さすがにふんどしをつけるのは極端かもしれませんが、**ほかの人がそこまで没頭しているものをやらないのはもったいないと私は考えます。そこに、没頭する感覚の手がかりが必ずある**からです。

没頭する対象は、漫画でもアニメでも何でもかまいません。たとえ自分は没頭できなくても、おもしろさの片鱗に気づくだけでもプラスになります。

いろいろなものにトライしていくなかで、自分が没頭できるものが見つかればそれに越したことはありません。あとは没頭の感覚を勉強に転用するだけです。

私の受講生で、英語が苦手な高校生がいました。

その子はライトノベルが好きだったので、中学生でも読めるような簡単な文体で書かれた童話を原書で読むようにすすめてみたところ、すでに内容も知っているからか、抵抗なく読めるようになりました。

読書をするときにクセのようにやっていた、わからない表現を調べる作業を原書を読むときにもやり始め、どんどん難しい文章も読めるようになっていった結果、第一志望の大学に合格することができました。読書に没頭する感覚が英語に活かされたのは言うまでもありません。

そして、**勉強にも読書と同じようなおもしろいポイントがあることに気づいたからこそ、成果を出せた**のです。

「ニワトリが先か、卵が先か」ではありませんが、没頭するからこそおもしろさに気づくことができ、おもしろさに気づいたからこそ没頭できるのです。

この感覚をつかんでしまえば、もうこっちのものです。**これまで何かに没頭したことのある人は、必ず勉強にも没頭することができます。**その「何か」は、本当に何でもいいのです。

また、「とくに何にも没頭したことがない……」という人も、安心してください。

まずは、周りの誰かが大好きで没頭しているものを片っ端からやってみましょう。何かしら、没頭できるものが見つかるはずです。それでもピンとくるものがないと思った人。大丈夫です。本書には、勉強に没頭する方法がちりばめられています。まずは勉強で、あなたの最初の「没頭」をつくりましょう。

「アンテナ」を増やすだけで情報が次々と頭に入ってくる

没頭する感覚をつかむことができたら、不思議なことに、これまで意識していなかった情報が自然と手元に集まるようになります。

これは、**「カラーバス効果」**と呼ばれています。

「カラー（color）」は「色」、「バス（bath）」は「浴びる」という意味で、何か一つのことを意識すると、特定の色を浴びるように、その情報がどんどん目につき、集まってくる状態のことを指します。

たとえば、朝の情報番組の占いで「今日のラッキーカラーは赤」と言われたとしましょう。そうすると、その日は一日赤いものばかり目につくようになります。同じようなことは、みなさんにも経験があると思います。

私の場合は、あるときから自転車に目がいくようになりました。それまでは、大学に通うためのただの乗り物でしかなかったのですが、『弱虫ペダル』という漫画を読んだ翌日から一変しました。

人が乗っている自転車に目がいくのはもちろんのこと、ロードバイクやマウンテンバイクなどの車種の違いが気になったり、自転車店のセールの情報や漫画のなかで使われていたフレーズも目につくようになったりと、あらゆる情報が一気に飛び込んでくるようになったのです。

あるものを意識すると、それを探そうとするアンテナが自動的に増え、何もしなくても情報のほうから飛び込んできてくれます。 SNSのさかんな現代は、情報量が多いため、その傾向はより顕著になっているでしょう。

同じことを、今、自分が成果を出したいと思っている勉強に置き換えてみてください。一度興味を持ち、意識を向けると、語彙力なら語彙の情報、TOEIC®ならTOEIC®の情報のほうからこちらに飛び込んできてくれます。

没頭すると、意識が変わるのです。

私は、すでにお話しした通り、中学・高校時代に勉強法の本を読みあさったことがありました。

東大志望の友人から「この本、おもしろいから読んでみなよ」と、ある本をすすめられたのがきっかけでした。

その本とは、『新・受験勉強入門勉強法マニュアル―やり方で受かる！　和田式要領勉強術の実践ノウハウ』（和田秀樹著、ブックマン社）です。

それまでとくに受験を意識してはいなかったのですが、「そんなにおもしろいなら読んでみよう」という気になりました。

そうしたら本当におもしろくて、「受験勉強という全国参加のゲームの攻略本を手に入れたぞ！」というような気持ちになりました。

意識が変わったのはその瞬間からです。

テレビのニュースや、通学している電車の中吊り広告、立ち寄ったコンビニでふと見かけた雑誌の見出しなど、日常生活のなかで、勉強法や勉強そのものにまつわるありとあらゆるものが目につくようになったのです。

これこそが、序章でお話しした**「あえて効率を求めなくても、自動的に効率が手に入る」**

状態です。

合格や目標達成に必要な情報が、勝手にやってきてくれるのです。しかも、没頭し続けていたら、この状態が無限に起きるのです。

没頭という武器を手に入れたら、もう怖いものはないと言っても過言ではありません。

聞き上手は勉強上手である

前項では、目から情報が得られる話をしましたが、次は耳から得られる方法をお伝えしましょう。

京大に入学し、教授や先輩と接して私が思ったのは、**「勉強ができる人は聞き上手」**ということでした。

聞き上手の人が聞いていると、話す側の熱量がどんどん上がり、さまざまな情報を伝えてくれるのです。そうなると、必然的に知識が蓄えられ、勉強に活かすことができます。

私も、勉強の無料相談会などで相手がいいリアクションをしてくれると、無料の場では言うつもりがなかったことまでつい話してしまいます。

熱量のある人の話は、モチベーションアップのきっかけになります。

熱中する人がやっていることをやってみるのにも通じますが、そこまで熱く語られたら興味もわいてきます。

また、たとえすぐには役に立たなくても、熱のこもった情報とは記憶に残るものです。後々、必ずプラスに働くときがやってきます。

私の友人は、大学2年生のときに、ひょんなことから「競技プログラミング」の話を聞き、興味を持っていろいろ聞き出していました。2年後、就職のときに急にそのときの話を思い出し、文系だったにもかかわらず理系のエンジニアの道を選びました。以前に聞いた熱量のある話が、将来の道まで左右することもあるのです。

聞き上手になると、2つのメリットが得られます。

◉もっと聞きたいと思うようになる

単純に、人の話をもっと詳しく聞きたいと思うようになります。どんどん聞いていくことで、自身も能動的な気持ちになり、「没頭」が生まれるのです。それが勉強の成果にもつながります。

とりあえず聞く習慣がつく

今は興味のないことでも、人がおもしろそうに話していると、つい聞きたくなって、とりあえず聞いてみるようになります。

私の友人の例もあるように、とりあえずでも聞いた情報は後々役に立つことがあるので、それをストックできるのは大きなメリットです。

聞き上手になるためのコツは、まず、表情・しぐさにあります。笑顔で、相手の話を肯定するようなニュアンスを出すとよいでしょう。

相槌を打つときも、「はい」だけではなく「なるほど」「そうですね」など、いくつかのパターンがあるほうが相手は話しやすくなります。

最初は形からでもこのような姿勢を心がけていると、自然と聞き上手になります。そうなると、まるでスポンジが水をぐんぐん吸い込むように情報を吸収していけるでしょう。

前項で「没頭すると意識が変わる」と言いましたが、ここまできたら、さらにもう一歩意識が変わり、能動的に没頭できるようになります。

没頭すればするほど情報は増え、ますます前のめりに勉強していけるのです。

「?」が浮かぶ頭になれば、「論理力」が鍛えられる

地方の中学・高校を経て京大に入ったとき、「あれ、今までと会話が違うな」と思ったことがありました。

学生同士の会話のなかに、「なんで?」「どうして?」がとても多かったのです。勉強に限らず、日常会話でも「あのラーメン屋は立地が悪いのになんで繁盛しているんだろう?」などと、些細なことでも徹底的に深掘りするのに驚かされました。

理系ノーベル賞受賞者には京大出身者が多いのですが、彼らも学生時代から常に「?」と疑問を持ち続けて研究してきたのでは、と想像します。**ものごとの原因や背景を追求したがるのは、頭のいい人たちの共通点と言える**のかもしれません。

そもそも、「なぜ?」と疑問を持つことは、人間の欲求の一つです。

みなさんも子どもの頃はさまざまなことに疑問を持ち、なぜそうなっているのかを知りたくて、「どうして?」を連発していたのではないでしょうか。

ところが大人になると、知ったつもりになって、「まぁいいや」と、知りたい気持ちにふたをしてしまいます。

その点、頭のいい人はふたをしていません。深掘りする楽しさを知っていて、そうすることで知識が増えると無意識にわかっているからです。

私も、勉強のセミナーでは「なんでだろうと常に疑問を持つクセをつけるように」と、よく話しています。

勉強のできない子、やりたくないと思っている子を見ていると、「途中で立ち止まっていない」という印象を受けます。いろいろな情報があるのに、それをスルーしてしまって、わかった気になっているケースがとても多いのです。

スルーせずに立ち止まるクセをつけると、わかった気になって進んでいた箇所を改めてやるようになるので、成績もアップします。

なかでも、確実に成績が上がるのは、数学や現代文です。

なぜなら、**疑問を持つことで数学や現代文の理解に必要不可欠な「論理力」が鍛えられる**からです。

数学の解説は、もともと論理的に書かれているものですが、深く考えずに読んでいると論理を素通りしてしまい、なぜそうなったのかまで理解できません。

結果だけ覚えて、本番では応用できないということもあります。そこを、「なんでBはCになるんだろう」と疑問を持つようになると、論理的に考えることができ、理解が深まります。

現代文は、そもそも「なぜこのような気持ちになったのか？」という理由や背景を答えることが求められるので、疑問を追求すること自体が文脈の理解につながります。

論理的に考えることは、すべての勉強において大切な部分です。

そして、この**「疑問を持つ力」こそ、勉強に没頭するためのエネルギー源**です。

「なぜなんだろう」と考え抜いて答えが導き出されたとき、「あ、そういうことか！」と腑に落ちたときの爽快感は格別です。さらに深く没頭していけるようになります。

日頃から疑問を持つクセをつけるエクササイズとして、１日１個、何でもいいので毎日頭に「?」を浮かべてみてください。

たとえば、「なんで空は青いんだろう?」「アルミ缶とスチール缶はどう違うの?」「なぜ東京が首都なんだろう?」など、何気ない疑問でいいのです。

疑問を追求し調べてみるのが理想ですが、できなければ、疑問を持つだけでもかまいません。その習慣が、勉強に没頭しやすい頭脳をつくります。

「ちょっとかじる」が知識の吸収にいい

ここまで、勉強に没頭するためのマインドについてお話ししてきました。

人の話を聞いたり、熱中する人のやっているものをやってみたりして、勉強に取り組める人もいるでしょう。なかには、「ちょっとかじったけれど続かない」という人もいるかもしれません。

しかし、そこで「自分はダメだ」と落ち込む必要はありません。一度やったことは、後で必ず活かされるときがきます。

もう一度取り組もうと思ったとき、教材をそろえるところから始める人よりは、はるかにスムーズに勉強を開始することができます。**少しでもとっかかりがあれば、ゼロの状態からよりも早く進むことができる**のです。

常にゼロからではなく、**半歩でも一歩でも進んでおく感覚が勉強にとっては重要**です。

私は受講生に、「前日に、次の日にやる勉強の教材を並べておきましょう」と指導しています。これも、とっかかりをつくるためです。

勉強は「何をやろうか」と考えることに、集中力をかなり使います。

勉強する教科を英語に決めたとして、何を、何ページ、何時間やるのかを細かく決めているうちに時間が経ち、せっかくのモチベーションが下がってしまうこともあります。

ですから、次の日は起きてやるだけという状況をあらかじめつくるのです。

仕事先や学校から帰って勉強する場合も、出かける前に教材を広げておいて、帰ったらすぐに取りかかれるようにしておくことをおすすめします。

ドイツの精神科医エミール・クレペリンが提唱した「作業興奮」という理論によると、考える時間をつくらずに行動すると、脳のなかでドーパミンという物質が分泌され、その作業に熱中するようになります。

掃除がいい例です。始める前は面倒だと思っていても、いざ始めるとテンションが高まり、すごく細かいところまできれいにしますよね。これも「作業興奮」のなせるわざです。

勉強もとりあえず始めてしまえば、脳が興奮状態となって、どんどんやる気がわき、知識を吸収できるようになります。

私も、やる気がなかなか起きない受講生には、「まずやってみよう。1分間だけでいいからやってみよう」と、よく声をかけています。その1分がウォーミングアップとなり、勉強に没入できるケースも少なくありません。

以上は、日々の短いスパンでの勉強の話ですが、長いスパンでも同じことが言えます。先ほど、「一歩でも半歩でも進んでおく感覚」が大切とお話ししました。

中断してしまった勉強も、買ったけれどやらなかった資格試験の問題集も、次にやるときのためのウォーミングアップとなります。

「やるとき」が1か月後、1年後だとしても、ちょっとでもかじった経験があれば、走り出す準備はできているも同然です。すでにとっかかりがあるので、スムーズに進んでいけるのです。

ずっと走り続けるのはしんどいものです。最後までいかなくても、完璧にできなくても、途中で休憩しても、まったくかまいません。

後ろに戻ったわけでも止まったわけでもなく、すでに踏み出しているわけですから、決してマイナスではない、と私は強く言いたいです。

「ちょっとかじる」ことは、未来に大いに生きてきます。

うまくいかないときは迷わず妥協する

勉強を続けていると、「思ったようにできない」「うまく進まない」と思うときがありま す。せっかく没頭してきたのに、急に勉強が嫌になり、気持ちが冷めてしまうこともあるかもしれません。

でも、そんなときこそ、「妥協を忘れない」でほしいのです。

そもそも、「妥協」という言葉には、あまりいいイメージがありません。

「本当はそうはしたくないけれど、しかたなくそうした」というニュアンスで使われますし、親や教師から「妥協するな」と言われることもたびたびあるでしょう。

ですが、私は、妥協は決して悪いことだとは思いません。

ものすごい天才なら妥協せずに突き進むことができるかもしれませんが、誰もがそのようにものごとを進められるわけではありません。

であるならば、**ときに妥協をして、力を抜く**。

それが続けるためのコツです。


私自身も、これまで勉強や競技かるたで何回も妥協をしてきました。

1週間で英単語100個を覚えようとしてもうまくいかないときは、1週間で英単語70個にしてでも続けることが大事です。

思うようにできなかったり、失敗したりしたときに、自分を責めすぎず、「こういうときもある」と、気持ちに折り合いをつけるのです。

一時的に落ち込んで、没頭から離れてしまうこともありましたが、折り合いをつけていると完全に気持ちが途切れることはなく、自然にまた没頭する時期がやってきました。そのように妥協をしてきたおかげで、私はいまだに勉強や競技かるたを好きでい続けられるのだと思っています。


女流棋士・香川愛生《かがわまなお》さんも、「負けを引きずらない」のがモットーだそうです。将棋の世界では、負けた原因は「自分が悪い手を指したから」というたった一つに尽きるそうです。自ら「負けました」と言って終わる競技ですから、負けたという事実は痛いほど身にしみているはずです。それでも負けを引きずらないのは、やはりどこかで折り合いをつけ、気持ちを切り替えているからではないでしょうか。

人間ですから、どんなに好きなことでも波はあります。たとえ波が小さくなっても、ゼロにさえならなければ、またいつか大きな波がやってくるときが訪れます。

ちなみに「妥協」というワードは、英語では“compromise（コンプロマイズ）”。「和解」「歩み寄り」「折衷案」という意味で使われています。そう考えると、決してネガティブな言葉ではないのです。

妥協を肯定的にとらえ、没頭の力をぜひ持ち続けてください。

お金を使うと対価を得たくなる作用を利用する

「サンクコスト効果」という言葉があります。

「サンク（sank）」は「埋没する」、「コスト（cost）」は「費用」で、過去に払ってしまって取り戻せない費用のことを指します。

本来なら今後の損益だけを考えていくのが合理的なはずなのに、これまで払った費用や時間・労力を惜しみ、損失とわかっていても投資を続けてしまうという意味で使われています。

「食べ放題」を想像していただくとわかりやすいでしょう。

本当はお腹がいっぱいで苦しく、これ以上食べないほうが合理的なのに、お金をかけたぶん元を取ろうとして、つい食べてしまいます。

本来マイナスな意味で使われている「サンクコスト効果」ですが、それを逆手に取り、誰もが持っている「対価を得たくなる気持ち」を勉強に応用してしまいましょう。

最初にしっかりとお金をかけ、「やめたらもったいない、元を取ろう」という気持ちになるように自分で自分を仕向けるのです。


私も、新しい勉強を始めるときには、少し値の張る教材を用意し、万年筆や本の栞を買ったり、科目ごとに筆記用具をそろえたりしています。受講生のなかには、高級なブックカバーを買って参考書に使っている子もいました。

教材や筆記用具・文具のほかでは、自習室を契約するのもおすすめです。お金をかけたぶん、しっかり通って勉強するようになります。

もちろんそこまでしなくても、カフェに行って高いドリンクを買うだけでも十分です。

「これを買ったから勉強するんだ!」と自分に言い聞かせると、やる気もわいてきます。

こんなふうに**「形から入る」方法も、勉強を続けるためには有効**です。

この方法は、勉強が続けられなくなってしまったときに、テコ入れのようなイメージで取り入れてもよいのですが、やはり最初にやることをおすすめします。なぜなら最初こそ、やろうという気持ちに最も熱量があるときだからです。

その勢いが、没頭を続けるエンジンになります。もちろん、勉強に没頭し始めてしまえば、筆記用具は何でもいい、とにかく勉強がしたいという状態になります。

それでも、いい道具をそろえることは勉強に没頭するための潤滑剤になります。誰しも人間ですから、やる気に満ちあふれているときもあれば、そうでないときもあります。最初のいちばん熱量がある状態のときに、継続するための準備をしておくのがおすすめです。

「とりあえずやってみる」マインドで、チャンスに恵まれる

みなさん、「イカ京」というワードをご存じでしょうか。

「イカ京」というのは「いかにも京大生」の略で、分厚いめがねにチェックのシャツ、スポーツやファッションとは無縁のような学生が京大にたくさんいたことから生まれたワードです。私が在学中に所属していた競技かるたのサークルは、まさにそんな「イカ京」の集まりでした。

見た目はイケていない彼らですが、その外見に反して、みんなチャレンジ精神がとても旺盛でした。

そう言うと、「すごいね」「才能があるからでしょ?」と言われますが、そうではなくて、未知のものに挑戦するハードルが極端に低いのです。

頭のいい人は高いハードルに挑戦しているイメージがありますが、むしろ逆。そもそも

完璧を求めておらず、最初からうまくいくなんて思っていないのです。だからこそ、どんなことでも、ちょっとやってみようと気軽にチャレンジできるのです。

かくいう私も、小さい頃からさまざまなことに挑戦してきました。小学校で競技かるたを始め、野球、バスケ、テニス、水泳、陸上、習字、絵画、ダーツ、将棋……。それ以外にもさまざまな習いごとや部活、趣味をやってきました。このなかで、いちばん成果を残しているのが、競技かるたです。

競技かるたは、小倉百人一首の歌を全部覚えていないとできません。今でこそ『ちはやふる』の華やかな楽しいイメージが浸透していますが、当時はそんな大変な遊びをやってみようと思う人はごくわずかでした。

でも私は、何の先入観もなく、「おもしろそう!」と思って始めたのです。もし私がそこで「大変そう」と身構えてやらないでいたら、今の自分はいないでしょう。**気軽にやってみるマインドを持ちながら、たくさんのものにチャレンジしてきた結果、自分の能力が開花するものに出会えた**のです。

トップアスリートも、よく「自分に合ったスポーツにめぐり合えて運がいい」という言い方をしますが、運ではなく、たくさんチャレンジして数を打ってきたから、そのスポーツに出会うチャンスを得られたのではないでしょうか。

成功している人ほど、いろいろな分野に挑戦しているものです。その行動の裏にあるのは、先ほどの京大生たちと同じく「とりあえずやってみる」マインドです。

私の友人で、やはり「何でもやってみよう」というタイプの男性がいます。

大学で簿記サークルに入ったのですが、そのときまで簿記のことは何一つ知りませんでした。そこで「知らないからやめよう」ではなく、「知らないからやってみよう」と入部し、その後、簿記大会で優勝。今は会計事務所でアルバイトをしており、税理士試験にも無事合格しています。

勉強も同じで、とりあえずやってみたもののなかから、好きなものや没頭できるものがきっと見つかるはずです。

少しでも気になったものには、どんどん飛び込んでみること。それを続けていくと、あなたが本当に頑張りたいものが見えてくるはずです。

第2章

論理力、記憶力、没頭力が同時にアップする勉強法

5分で簡単に記憶が定着する「イマナニ法」

覚えたいことがすぐにスッと記憶できたらいいとは思いませんか。

しかもそれをずっと覚えていられて、テストでいい点が取れるのだとしたら、楽しくていつまででも勉強を続けていられるでしょう。

そんな夢のようなことを実現する方法があります。

しかも、**たった5分で実現できる**のです。

勉強ができない人を見ていると、問題を解いて答えを見たら、それで終わりにしてしまっているケースがとても多いようです。

頭のいい人はそこで終わらせず、もう一度振り返り、腹に落としてから先に進んでいます。

「勉強ができるようになるコツは?」と聞かれても答えられないくらい、おそらくみんな無意識にやっていることです。

この**「振り返り」にこそ、記憶を定着させ、点数を上げる絶大な効果があります。**

振り返りをせずに先へ進んでしまうと、進むほど最初にやっていたことを忘れてしまいます。後から振り返ろうとしたときにほとんど何も思い出せず、パニックになってしまうこともあるかもしれません。

「エビングハウスの忘却曲線」などでも言われている通り、時間の間隔を空けずに振り返ることで記憶の定着率は上がります。

そこで、**「イマナニ法」**の出番です。

教材の1~2ページに1回程度、区切りのいいところでいったん先に進むのをやめ、「今、何をやっていたんだっけ?」と、1~5分ほど振り返ります。振り返りに使う時間は、学習している教材の分量や難易度によって増減します。

次に進みながら、小さい項目ごとに振り返るのを繰り返し、その次はより大きな項目、最後は全体の章というふうに、かたまりごとに振り返るようにします。
「イマナニ法」を習慣づけることで、おもしろいように記憶は定着していきます。
「イマナニ法」は、科目のタイプによってやり方が変わります。

① 暗記ものの場合

歴史や暗記ものの場合は、参考書の「目次」「見出し」および「太字」で書かれているところをチェックします。試験に必ず出る大切なポイントが、そこに集約されているからです。

この方法はすでにほかの勉強法でもよく言われていることですが、私はものごとが起こった「原因」も確認するようにしています。

たとえば、第一次世界大戦の勃発についてなら、ヨーロッパの産業が発達して生産過剰になり、複数の国が植民地支配を企図して他国に侵攻していった結果、侵攻した国同士で対立して紛争が起きたという背景があります。

その背景があるなかで、セルビアの皇太子が暗殺され、それをきっかけにロシア、ドイツ、英国、日本までも参戦する大戦となった、といういきさつを確認するのです。

このように、ものごとの本質の部分に着目しておくと、それがフックとなり、ただ暗記するよりも記憶に残りやすくなります。

試験勉強でいちばん大切なのが、「原因」です。原因さえわかっていれば、結果は自然に導き出されます。

「イマナニ法」は、振り返りに時間をかけすぎないのもポイント。こういった本質部分は、最優先で振り返りましょう。

②理解ものの場合

数学など理解系の科目の場合は、自分がいちばんできていなかったところを振り返るようにします。

たとえば、このような問題があります。

「大小2つのサイコロを同時に投げるとき、出た目の数をそれぞれa、bとする。

1　ab=6となる場合は何通りあるか

2　b/aが偶数となる確率を求めよ」

1番の問題は簡単なので、間違えるとすれば2番でしょう。サイコロの振り方は6×6で36通りなので、b/aが偶数になる場合が何通りあるのか数えれば答えは求まります。これは私が、小学生に算数を教えていたときに出した問題なのですが、その受講生は「aが1のとき」のパターンを書きもらし、間違えてしまいました。このように**間違えてしまった問題は、答えを見て「はい、おしまい」ではなく、もう一度自分で解き直して正解できるかチェック**するのがおすすめです。

この1～5分の振り返りは、学校の授業の後、1日の勉強が終わった後などにも応用できます。

私は受講生に「イマナニ法」を伝えていますが、始めて2週間くらいで、「勉強が身についてきた」「小テストで点数を取れるようになってきた」との声が聞かれます。みなさんにも、それだけすぐに効果が出る方法だと声を大にしてお伝えしたいです。

「イマナニ法」は、記憶を定着させるだけでなく、やるべきことの優先順位をつけるうえでも効果があります。

3回かけて振り返る「イマナニ法」

1 1〜2ページごとの振り返り

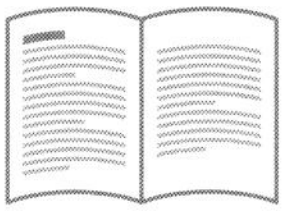

1〜2ページ以内で、学び終わったところをすぐに振り返る

例▶参考書なら、「小見出し」ごとに

2 項目ごとにまとめる

1の作業を進めながら、区切のいいところで、同じ項目を見直す

例▶参考書なら、「見出し」ごとに

3 章単位で見直す

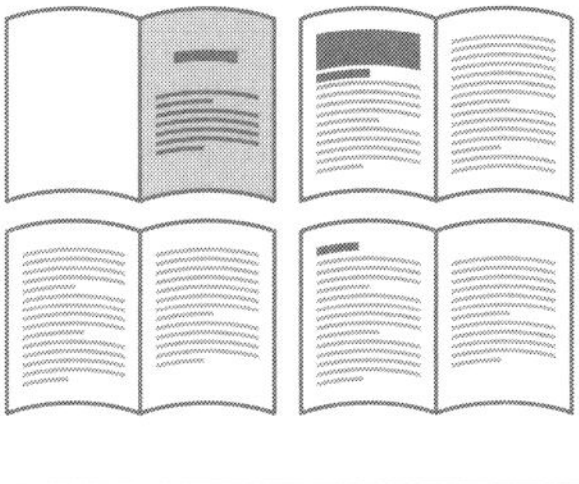

1 2の作業を進めながら、章単位の勉強が終わったら、最後にまとめて見直す

例▶参考書なら、「章」ごとに

自分の弱点を可視化し、そこを優先的にやることで、次につながっていくのです。

東大や京大に合格した人たちを見ていると、この「自己分析」を常にやっているなと感じます。

彼らは、「できるだけ面倒なことはしたくない、ラクをして合格したい」と思って勉強しています。

「イマナニ法」の段階では、やみくもに手を広げるよりも、弱点をピンポイントで把握して早く確実に克服するほうがはるかに効率的なのです。

弱点を見極めて乗り越えることで結果が生まれ、それが達成感を得ることにもつながっていきます。

たった5分の短い時間で、勉強に没入する好循環に入っていくことができるのです。

論理力をたちまち上げる「立場スイッチ法」

インターネットで調べれば何でも答えが出てくる時代のせいでしょうか、ものごとを深く考えない人が増えているように感じます。

そのような人は、自分の頭で考えるクセがついていないため、グーグルなどの検索エンジンに引っかからないことが出てきたときに対処できません。

考えることは、習慣です。

普段から考えていないと、応用がききません。試験本番でも、丸暗記だけでは太刀打ちできないのです。

そして、**考えることで、「論理力」が身につきます。**

勉強においては、論理力があることが大前提なのですが、この力がない人が意外に多いのです。

私の受講生の例で言うと、論理力のない子は、こちらの質問に答えられません。質問と違う内容の答えを返してくるのです。それは、聞かれたことを文脈で考えられず、何を聞かれているかを理解できないからです。

数学の答え合わせをしていて、「1番」と答えた受講生に、「なんでそう思ったの?」と聞くと、「じゃあ3番」とか「4番」といった答えが返ってくることがあります。

「なんで?」という問いをされていることがわからず、間違いを指摘されたという思い込みから違う番号を言ってきているのです。

そのような子たちに、論理力を鍛える方法として教えているのが、**「立場スイッチ法」**です。

答えが2つあるテーマを設定して、意見を出し、次はその反論をする、というやりとりを繰り返す方法です。

私が受講生に与えたテーマは、「夏休みの宿題は先にやるべきか、後にやるべきか」でした。受講生が「先にやったほうがいい」と言ったら、私はそれに対して「後にやったほうがいい」と反論し、受講生が私の意見にさらに反論します。

今度は私が「先にやったほうがいい」と言い、受講生が反論する、というふうに立場を変え、きちんと理由づけをしながら続けていきます。

簡単に言うと、「ディベート」です。

最初は、私に反論されると「そうか」と納得していた受講生も、次第に考えて反論を重ねてくるようになり、**立場を変えながら頭で考えるクセをつけた結果、自然に論理的に考えられるようになった**のです。その受講生は、3か月後に偏差値が40から60に上がりました。


「立場スイッチ法」は、私が小学校6年生のときに実際にやっていたものです。

夏休みの宿題について、友達の多くが、「宿題が残っていると気持ちよく遊べない。コツコツやっていれば、『間に合わない』と慌てなくてすむ」と言っていたのですが、私は疑い深いタイプだったので、「本当にそうかな?」と、思ったのです。

「確かに、先にやり終えられたらいいけれど、終わるかどうかはわからない。だったら最後の3日でやると決めれば、それまで遊べる!」と頭のなかで考え、次は立場を変えて、

「いや、やっぱり先にやったほうがいい」と今の自分の論を打ち崩す反論を考える、というのを一人でやっていました。

このように、「立場スイッチ法」は、相手がいなくても一人でできます。

まず、自分がどう思うかを決め、その反論を考え、さらにそれに反論する。これを1セットとしてやるといいでしょう。

大事なのは、無理やりでも思いつかなくてもいいから反論することです。いわば、「こじつけ力」みたいなものです。

また、水平思考ゲームも論理力を鍛えるのに有効です。

「ウミガメのスープ」で知っている人もいると思いますが、一人が問題を出して、回答者が次々に質問します。出題者はその質問に対し、「YES」「NO」「関係はありません」の3パターンでしか返答できません。そして、問題の真相にたどり着くゲームです。固定観念にとらわれていると、なかなか正解にたどり着けないので、頭が鍛えられるという意味でも効果的です。

反論を繰り返す「立場スイッチ法」

お題▶夏休みの宿題を先にやるべきか?
後にやるべきか？

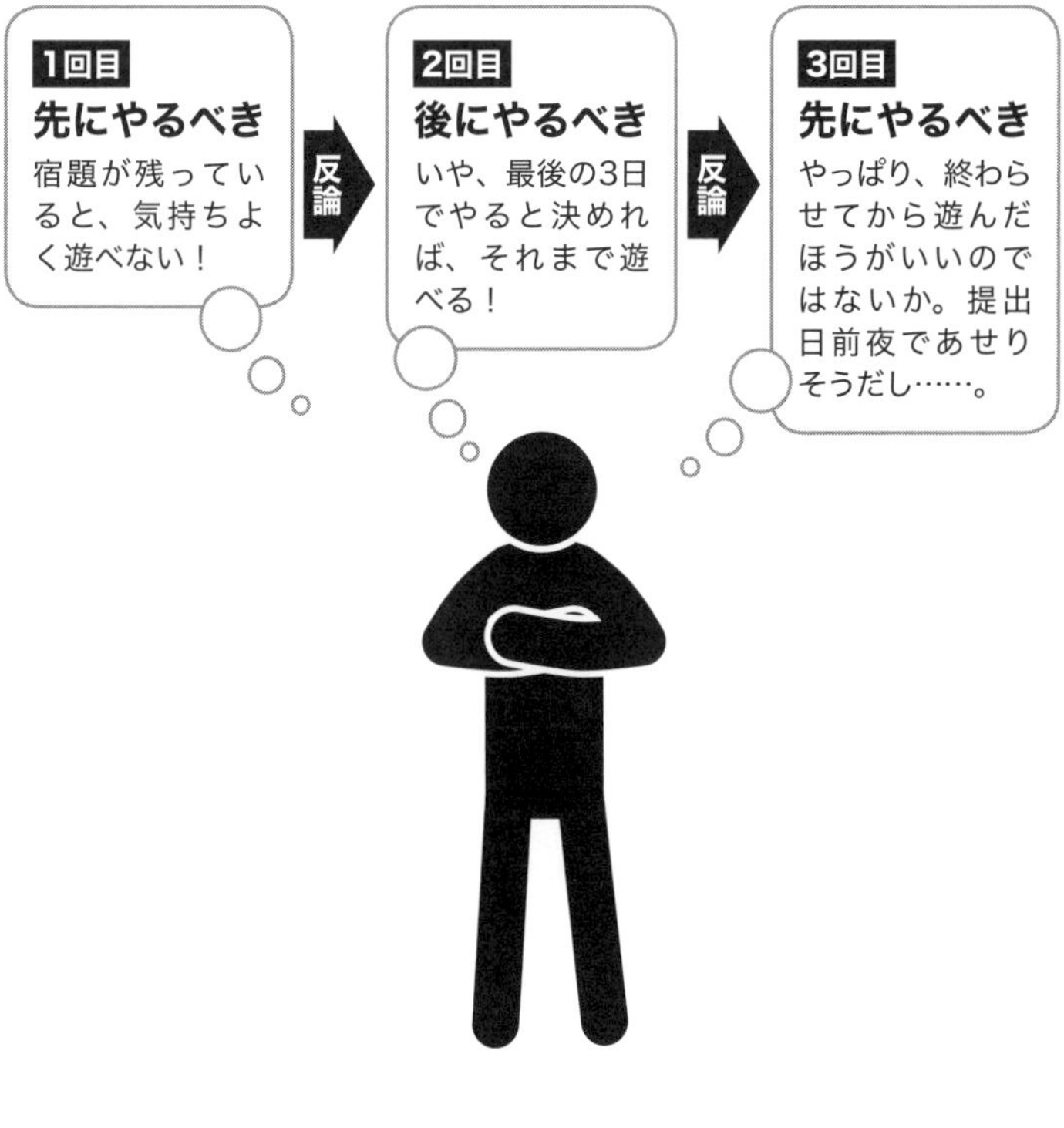
1回目
先にやるべき
宿題が残っていると、気持ちよく遊べない！
反論
2回目
後にやるべき
いや、最後の3日でやると決めれば、それまで遊べる！
反論
3回目
先にやるべき
やっぱり、終わらせてから遊んだほうがいいのではないか。提出日前夜であせりそうだし……。

わざわざ、ディベート形式やゲーム形式にしなくても、日常生活に「立場スイッチ法」は簡単に取り入れられます。難しく考える必要はありません。

「今日は肉が食べたい」

「この本、買おうかどうしよう」

日常でふと思ったとき、ちょっと迷ったときに、「なぜそう思ったんだろう」と考えたり、反論したりしてみてください。

そのように**自分の意見を考察し、深く考えるクセをつけるようにすれば、自然と論理力は鍛えられます。**

記憶力、没頭力をアップさせる「ブラブラ法」

「散歩をすると脳が活性化する」という説を聞いたことがある人は多いのではないでしょうか。

ニューメキシコハイランズ大学の研究によると、歩くときに足の裏にかかる負荷が体のなかの動脈を経て脳に伝わり、血流を促すとされています。

足の裏にかかる圧力が血流の逆行を促し、脳血流が上がるのです。脳への血流が多くなることで、脳は活性化し、記憶力がアップします。ちなみに、サイクリングだと足の裏に圧力がかからないため、効果は見られないとのことなので、やはり地面を踏みしめて圧力をかけて歩くことがいいのでしょう。

歩くだけなら、誰でも、いつでも、すぐに実行に移せます。

ブラブラ歩く**「ブラブラ法」**を習慣にして、学習能力を上げていきましょう。

毎日同じコースを歩くのもいいのですが、**あえて遠回りをしたり、今まで通ったことのない新しい道を通ったりしたほうが「没頭力」が高まります。**

没頭力を生む源は、脳の前頭葉という部分にあると言われています。そこには「ウィルパワー」と呼ばれる意志力のようなものが蓄えられていて、それを使って没頭力を出していくのです。

没頭力をアップさせるには、このウィルパワーの総量を増やさなくてはなりません。それを引き出してくれるのが「新しい経験」です。だからこそ、**新しい道を歩いたほうが効果的**なのです。

私の受講生にも、ウォーキングで成績の上がった子がいます。

その子は浪人生でしたが、入試の1年前まで、まったく勉強の習慣がありませんでした。そこで、まず、歩いて図書館に行かせることから始めました。

「図書館に行ってやる気が起きなかったら、図書館の壁をタッチして帰って来るだけでもいいから」と、とりあえず図書館に行くことをゴールに設定したのです。

勉強の効率が上がるほかの方法ではまったく変化がなかったのですが、歩いて通うことが習慣になると、すぐに毎日勉強するようになりました。その2か月後には英語と日本史の偏差値が3ずつ、半年後にはそれぞれ10ずつ上がり、結果、志望校に合格することができました。

勉強の習慣化は、「すべり台」をイメージしていただけるとわかりやすいと思います。階段を上ってすべり始めたら、もう止まることはありません。自分で頑張らなくても、力を入れなくても、自動的にすべることができます。

勉強が苦手、続かないという人は、すべる手前の階段を上るのがつらいと思っているのです。上るまでには準備が必要ですが、そこを乗り越えれば、もう難しくないのです。

この浪人生の場合は、ウォーキングがきっかけで階段を上ることができ、あとは自動的に勉強習慣が身についたと言えるでしょう。

その受講生とは逆に、もとから勉強の習慣ができている子たちもいました。なぜだろうと共通点を探してみたところ、ほとんど全員がほかの塾などの自習室に歩いて通っていました。これも歩くことで脳が活性化しているからだと私は考えています。

また、マイナス思考の受講生が、ウォーキングを習慣にしたところ、ポジティブになったという例もあります。成績は悪くないのに合格できるかどうか不安に思っている受講生がけっこう多いのですが、彼らにも私は歩くことをすすめています。

歩くときは、姿勢も大切です。

背筋を伸ばし、早足でキビキビと、目線はまっすぐ前を見るようにします。歩く時間は、最低20分を目安にしてください。

カバンを手に持つよりも、リュックサックを背負うのがおすすめです。両手があいていたほうが、腕を振ってテンポよく歩けるからです。

とくに、晴れた日の朝に歩くと充実感が全然違います。ぜひ試してみてください。

勉強において、頭だけ働かせるのはあまり有効ではありません。

脳はバランスをとるようにできているので、体を動かさないと頭も使わない方向にいってしまうと言われています。

私の友人にも、高校時代に運動をしていたのが勉強に専念して体を動かさなくなった途端、成績が落ちたという人が何人もいます。

頭も体も動かすことが脳を活性化させ、勉強に必要なあらゆる力を引き出してくれます。

脳を活性化する「ブラブラ法」

✕ 勉強に悪いウォーキング

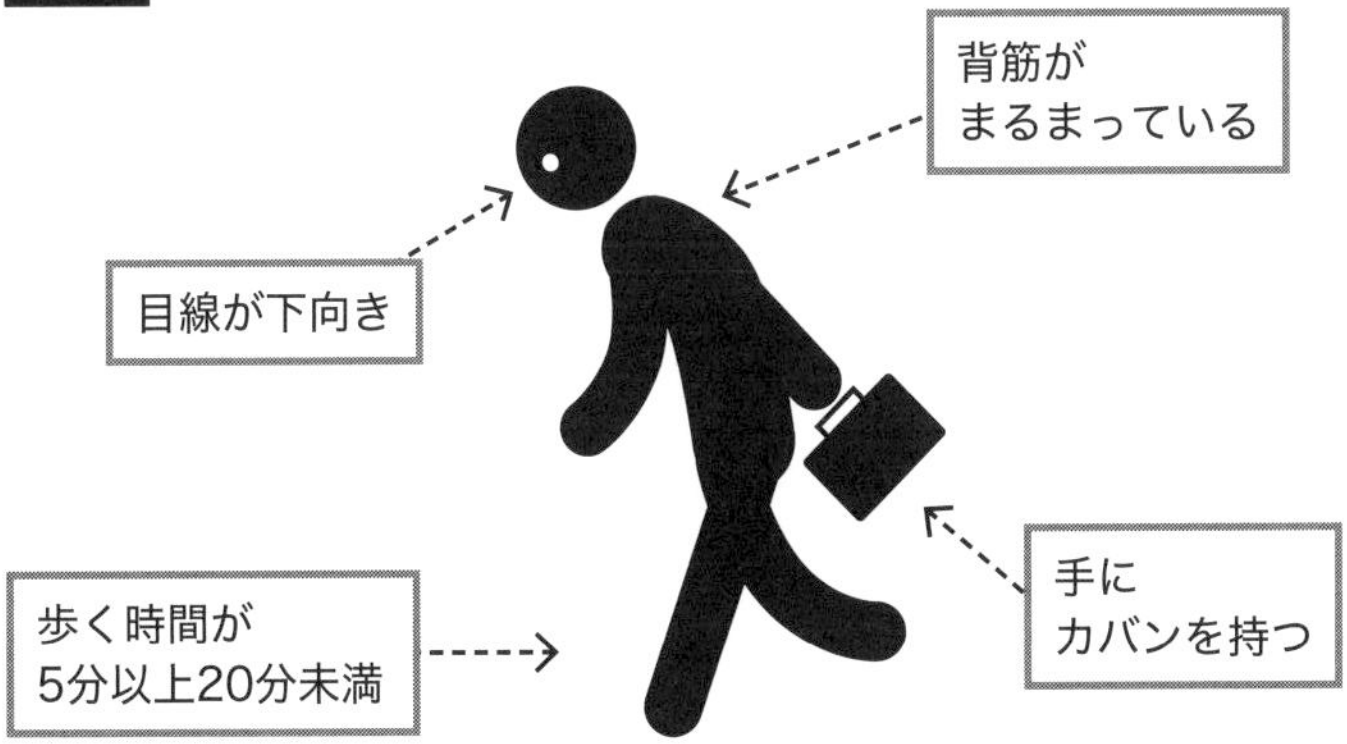

○ 勉強にいいウォーキング

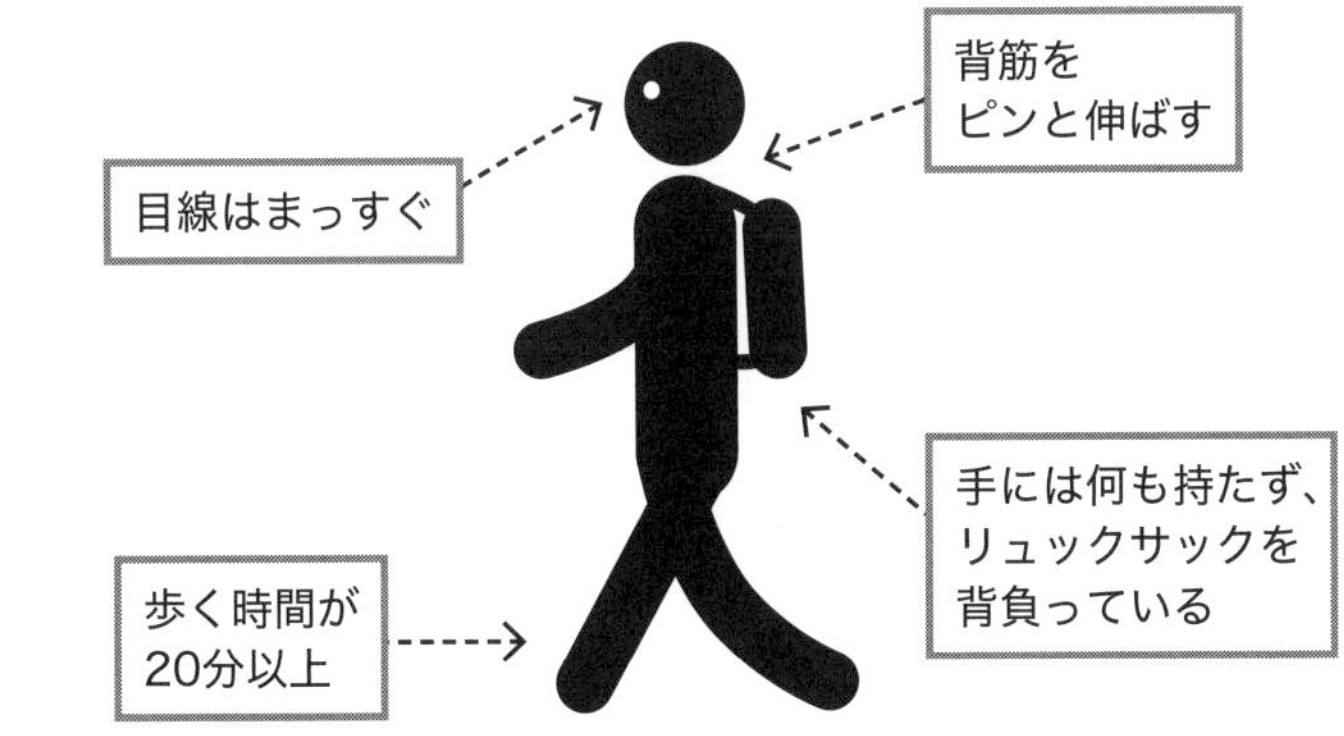

そして、ウォーキングには、2つのパターンがあります。

一つは、疲れたときのリフレッシュとして歩く場合です。私は、好きな音楽を聴きながら歩くようにしています。自分の歩幅に合うリズムの、テンポのいい曲をセレクトするのがポイントです。歩いてから家に戻れば勉強の効率が上がりますし、歩いた先の公園などでそのまま勉強してしまうこともあります。

もう一つは、歩きながら勉強するパターンです。すでにご紹介した「イマナニ法」や「立場スイッチ法」を、歩いているときにもやるのです。

考えながら歩くことで、論理力を鍛えるとともに、勉強したことが脳のなかで自然に整理され、記憶の定着率も一段とアップします。

復習を自動化する、いつでもどこでも「セルフクイズ法」

なかなか覚えられない問題や、よく間違えてしまう問題は誰にでもあると思います。

私の経験からすると、3回間違えた問題は、その後も間違える可能性が高いと言えます。

間違いを繰り返すことがないよう、確実に覚えられるよう考え出したのが、ここでお伝えする**「セルフクイズ法」**です。


まず、問題を解いた日付を書き、できたかどうかを○、△、×で簡単にチェックします。

そのなかで、できなかった×の問題を抜き出し、そのなかからさらに3回間違った問題をピックアップします。

その内容を「問題」と「答え」の形式にして、録音します。

ボイスレコーダーを使ってもいいですし、スマホのボイスメモ機能を利用してもかまいません。

問題を読んで、1拍あけてから答えを読みます。1拍は、大体3秒くらいです。このセットを3回録音します。

なぜ3回なのかというと、**間をおかずに繰り返したほうがより記憶に定着する**というのと、1回だけだと聞き逃してしまう可能性があるからです。

後で録音を聴き、問題の後の1拍の間に、自分で答えを出すようにします。

自分で問題を出し、自分で答えを出していくから「セルフクイズ法」なのです。

この方法は、私が学生時代に使っていた『システム英単語CD』（霜康司・刀祢雅彦著、駿台文庫）を参考にしています。そのCDは単語を3回繰り返し、その後にその単語を使ったフレーズを1回流すというものでしたが、繰り返しがあるので、ほかの教材よりも格段に記憶が定着しました。

自分の**「セルフクイズ法」でも、フレーズを3回繰り返す**ようにしています。

問題は、参考書を見て自分でつくるのがベストですが、難しければ、最初は問題集から抜き出したものをそのまま読んでもかまいません。
以下に具体的な例を挙げてみましょう。

問題：江戸幕府の第四代将軍は？
答え：徳川家綱

問題：第二次世界大戦における連合国陣営の国は？
答え：イギリス、ソ連、オランダ、フランス、アメリカ、中華民国など

問題：bookを動詞で使うと、どんな意味になる？
答え：（部屋、座席などを）予約する

このように問題と答えをつくって録音します。
タイトルには、日付と教材名、ページ数などを記しておきます。
録音するのは、正直、少し面倒な作業ですが、みなさんが思う以上の効果があります。

私は、高校の美術の筆記試験のときに初めてやってみたのですが、ほとんど勉強していなかったにもかかわらず、移動中に流していただけで満点を取れてしまいました。

今、私の受講生たちにも「セルフクイズ法」を教えていますが、成績が上がった受講生ばかりです。

また、**録音では自分の声が普段とは違って聞こえるので、それも印象に残って、より記憶しやすくなります。**

そして、この方法のいいところは、一度録音してしまえば、部屋のなかに限らず、通勤・通学の電車のなかや歩いている最中など、**いつでもどこでも自動的に復習ができる**という点です。

私は学生時代、通学時間が45分間だったので、それを目安につくり、往復で2回聴いていました。みなさんもご自身の生活パターンに合わせてつくってみてください。歯磨きのような、誰もが必ずやっている生活習慣と組み合わせて、夜寝る前や朝起きたときにやるようにするのも手です。

「セルフクイズ法」のいちばんの利点は、問題をつくる過程と、音声を吹き込む過程でイ

確実に覚える「セルフクイズ法」

「問題」と「答え」の形式にして録音

Q 江戸幕府の第四代将軍は?
(3秒あける)
A 徳川家綱。Q 江戸幕府の第四代将軍は?
(3秒あける)
A 徳川家綱。Q 江戸幕府の第四代将軍は?
(3秒あける)
A 徳川家綱。

Q 第二次世界大戦における連合国陣営の国は?
(3秒あける)
A イギリス、ソ連、オランダ、フランス、アメリカ、中華民国など。
Q 第二次世界大戦における連合国陣営の国は?
(3秒あける)
A イギリス、ソ連、オランダ、フランス、アメリカ、中華民国など。
Q 第二次世界大戦における連合国陣営の国は?
(3秒あける)
A イギリス、ソ連、オランダ、フランス、アメリカ、中華民国などンプットとアウトプットを同時にできるところです。

問題をつくりながら覚えることがインプットに、音声を吹きこむことがアウトプットになるのです。

これは、とくに暗記ものが中心の資格試験には絶大な効果を発揮します。

確実に覚えられることが自信となり、さらに勉強が楽しくなっていく最強の勉強ツールです。

音楽でテンションを上げる「自作やる気スイッチ法」

「勉強をするときは音楽を聴いてはいけない」と、よく言われます。

もちろん、音楽を聴かずに勉強できるのであれば、それに越したことはありません。けれども、どうしても**勉強が続かないとき、モチベーションが落ちてしまうときは、逆に音楽を利用して勉強に没頭するという手段もある**のです。

多少効率は落ちるかもしれませんが、やる気が起きずにずっと勉強に手をつけないままでいるよりはよっぽど効果的です。

勉強というものは、もっとラクに構えてやっていいのです。「音楽を聴いてはダメ、テレビを見てはダメ」という強制が、かえって勉強にハマることを阻止しているように私には思えます。

その証拠に、頭のいい人たちには、音楽をかけながら勉強をしている人が結構います。

灘中高を卒業して京大に入学した後輩は、音楽をかけながら数学の問題を解いていたと言います。

京大医学部の友人は、勉強を始める前と、始めてから10分間だけ音楽をかけ、没頭してきたら消すと言っていました。**音楽を導線にして、勉強の世界に入り込んでいる**のです。

私も学生時代は、宿題などどうしてもやらなくてはいけないものほど、音楽をかけながらやっていました。好きな曲をかけ、「自分の好きなミュージシャンが応援してくれているんだ！」という気持ちでやっていると、苦にならずに作業ができます。

まず、自分の好きな曲でプレイリストをつくって、「音楽を聴くついでに勉強する」くらいの気持ちで始めてみましょう。これが**「自作やる気スイッチ法」**です。

プレイリストは、状況によっていくつかのパターンをつくるようにします。

私は勉強用のプレイリストとして、3パターンつくっています。

1つ目は、**「気合いを入れるとき」**。

試験や競技かるたの大会の前、あるいはしんどい作業をしなくてはならないときは、とにかくテンションの上がるノリのいい曲、熱い曲をセレクトします。

音楽でアゲる「自作やる気スイッチ法」

気合を入れたいリスト

♪
歌詞が熱い
ロック系

淡々と作業したいリスト

♪
カフェで
流れているような
ジャズ、バラード系

リラックスしたいリスト

♪
しっとり系

2つ目は、**「淡々と作業をするとき」**。

ルーティンワークやメールの返信など、コツコツとやるような作業のときは、気持ちを落ち着かせる曲を聴きます。アップテンポの曲にこだわらず、明るい曲調のバラードなどもおすすめです。

3つ目は、**「リラックスしたいとき」**。

疲れたとき、頭を休めたいときには、気持ちをゆるめてくれるような曲を選びます。このプレイリストがあることでリセットされ、次のモチベーションにつながります。

基本的には、すべて自分の好きな曲から選びます。

歌詞があると集中できないという人もいるかもしれませんが、歌詞のメッセージで気持ちが鼓舞されるなら、そちらを選んだほうが勉強や作業に没頭していけます。

ただし、**音楽を聴くのは、あくまでも最初のとっかかりをつかむため。**潤滑油的な役割だと思ってください。集中してきたら、切るようにしましょう。

Ａ４一枚で記憶の定着率を爆上げする「寝る前チェック法」

「イマナニ法」でお伝えした通り、やったことを振り返る作業は、記憶の定着率を上げ、テストの点数アップにも多大な効果があります。

その効果をさらに高めてくれるのが、ここで紹介する**「寝る前チェック法」**です。「イマナニ法」で5分間の振り返りを積み重ねつつ、1日の最後、寝る前にもう一度振り返りをすることで、記憶の定着率は驚くほど上がるのです。

この振り返りの作業をシステム化し、毎日の習慣にしてしまえば、もう怖いものなしと言っていいくらいです。

「寝る前チェック法」のやり方は、いたって簡単です。

Ａ４用紙一枚に、その日勉強した内容を書き、夜寝る前の30分間に振り返る。ただこれだけです。寝ている間に脳がその内容を整理してくれるので、勝手に記憶が定着していきます。

紙に書く内容は、勉強の最後にまとめて書くのではなく、勉強をしている途中で、できなかった箇所、太字などで強調されている箇所をピックアップして書いておくようにします。

A４用紙一枚を埋めると、ちょうど30分くらいで振り返ることができる量になります。

書き方は、２通りあります。

一つは、**「具体的に書いていく」**パターンです。

英語ならわからなかった単語を、数学なら問題と答えを書いていきます。

少し手間はかかりますが、一枚に内容がまとまっているので、その紙さえ持っていればいつでもどこでも復習できるという利点があります。ファイリングしておけば、積み重ねてきたという達成感にもつながります。

もう一つは、**「日付、参考書名、ページ数だけを箇条書きにする」**パターンです。

後で参考書を開かなくてはなりませんが、書く作業は前者よりラクです。私はいちいち書くのが面倒なので、こちらの方法でタブレットにメモ書きし、終わったら削除していました。簡単なぶん、続けやすいというメリットがあります。

どちらでもよいので、自分に合ったやり方でやってみてください。

実際にやってみると、わかったつもりになっていることがいかに多いか、ということがわかると思います。まずは、それを実感することです。

けれども、わからないからといって焦る必要はまったくありません。

全部覚えようとしたり、もう一度問題を解いたりする必要もないのです。

たとえば数学なら、問題を読んで「あの公式を使うんだっけ?」など、少し考えてから答えを見ます。英文なら、難しかった文章を読み直し、社会だったら太字の部分と原因をチェックします。

「ここ、できなかったな」程度の軽い気持ちで見返すくらいで十分です。

それでも勉強の内容はしっかり頭のなかに蓄積していきます。

また、最初に30分間と言いましたが、これは平日3~5時間くらい勉強したときの目安です。

休日だったら6〜10時間くらい勉強する可能性があるので、その場合の復習時間は1時間ほどとってください。忙しければ10分程度でもかまいません。

要は、**気負わずラクに復習できる時間でよい**のです。「こんなのあったな」と、項目を5秒ずつパラッと見るだけでも、記憶の定着率は違ってきます。

これまで、勉強に没頭する方法をいくつかお伝えしてきました。

なかなか勉強に取り組めなかった人も、**没頭する方法さえ見つかれば、すぐに取り組めるようになります**。**取り組めば結果が出て、結果が見えると、さらにレベルはアップしていきます。**

その道筋をさらに強固なものにしてくれるのが、この項でお伝えした**「復習の自動化」**です。

ここまでくれば、すでに実感を伴った明確な成果が出てきているはずです。

A4一枚で振り返る「寝る前チェック法」

1 具体的に書いていく

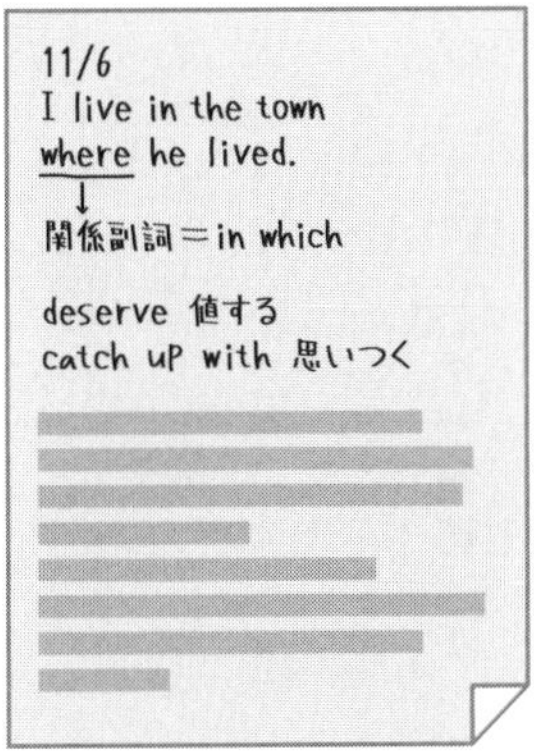

わからなかったものを書いていく

2 日付、参考書名、ページ数だけを箇条書き

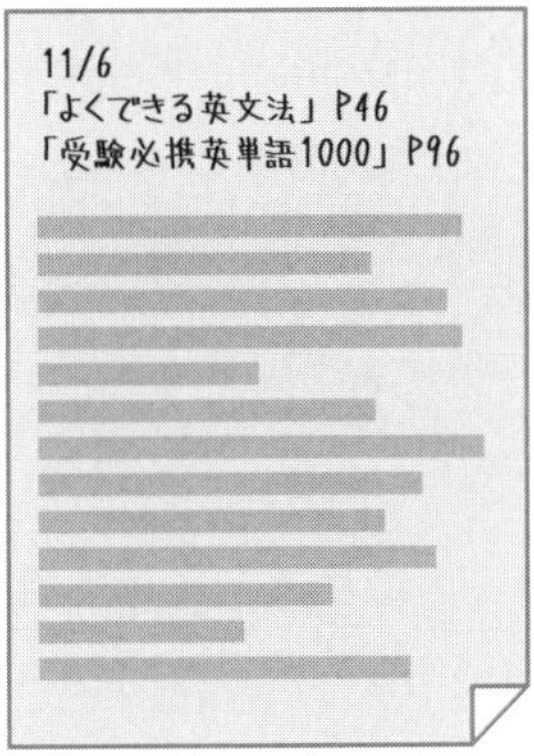

後で見直せるよう、わからなかった箇所を記しておく

暗記効率がアップし、眠くもならない「アインシュタイン法」

外を歩くと、脳が活性化すると「ブラブラ法」でお話ししました。

歩くこと自体が脳血流を促すのですから、外だけではなく、部屋のなかを歩いてもメリットがあるということになります。

けれども、実際には部屋のなかを歩きながら勉強している人はほとんどいないでしょう。おそらく99・99%の人が机に向かって勉強していると思います。

かの有名な物理学者アインシュタインは、歩いてひらめきを得たといわれています。学生と議論しながら丘を登り、議論が核心に迫ったところで突然立ち止まって計算を始め、「一般相対性理論」のヒントをつかんだそうです。

そんなアインシュタインに倣《なら》って名付けた**「アインシュタイン法」**で、まずは机から離れ、部屋のなかを歩いて勉強をしてみましょう。

部屋のなかを歩くと、どれくらい効果があるのでしょうか?

これは、あくまで私が自分の元受講生たち10人に協力してもらった実験の結果ですが、一度も習ったことのないロシア語を、30分間座りながら覚えてもらいました。その後、覚えるワードを変えて30分間歩きながら覚えてもらったところ、歩きながら覚えたほうの暗記効率が上でした。

科学的な面からも、座ったままでいると筋肉が動かないため、脳も働かなくなってしまうと言われています。机に向かっていて、飽きてきてしまった、モチベーションが下がってきたと感じたら、立ち上がって部屋のなかを歩いてみてください。筋肉が動いて脳が活性化し、没頭力が戻ってきます。

この方法は、座って勉強していて眠くなってしまったときにも効果があります。歩くことで、眠気が吹き飛びます。

ある進学校では、教室の壁4面にホワイトボードがあるという話を聞いたことがあります。勉強する場所を固定せず、複数の環境をキープして移動しながら勉強するほうが、効率はアップします。

私も、部屋の壁にホワイトボードを貼り、立って数学を解いたり、部屋の四隅に暗記したい項目を貼って、そこに移動して覚えたりしていました。

とくに**暗記ものは歩きながら音読すると、より記憶に定着する**ので、このやり方で暗記効率がかなり上がりました。

今は自分の受講生にも同じようにやらせていますが、成績アップにつながっています。

部屋のなかをウロウロ歩き回っている姿はおかしいかもしれませんが、家族くらいにしか見られていません。どんどん歩いて記憶の量を増やしてしまいましょう。

達成感を味わい、着実に前進する「ドラクエ法」

音楽を使ってテンションを上げる「自作やる気スイッチ法」に加えて、もう一つ、音を有効活用する**「ドラクエ法」**をお教えしましょう。

自分で「できたぞ！」と思ったときに、ゲーム「ドラゴンクエスト」のレベルアップの音を鳴らすのです。

そう、あの「テレレレッテッテッテー」です。

敵を倒してレベルアップしたイメージを自分に投影して、達成感を得るのです。

勉強を続けていると、自分が本当にできているのか、前に進んでいるのか、不安になるときがあると思います。

達成感を確認するのは難しいものですが、そのような行き詰まりを感じたときに、こういった音を効果的に使うとレベルが見えるようになり、先へと進む原動力になります。

もちろん、「ドラクエ」以外のゲームの音を使ってもかまいません。要は、自分が「できた！」「やった！」とテンションが上がるような音です。

音を鳴らすタイミングは、３つあります。

①正解率が９割を超えたとき

これくらいできたら、かなりの達成感が生まれます。自信を持って鳴らし、さらに勉強にのめり込んでいきましょう。

②寝る前に１日の勉強を振り返ったとき

その日の勉強を振り返ると、「こんなにやったんだ」と、やはり達成感があります。寝る前にテンションを上げ、そのいいイメージを持ったまま寝ると、次の朝もポジティブな気持ちのまま勉強に向かえます。

③自分で制限時間を決めて時間内にできたとき

試験には、制限時間があります。漫然とやるのではなく、本番と同じように制限時間を

達成感を味わう「ドラクエ法」

1 正解率が9割を超えたとき

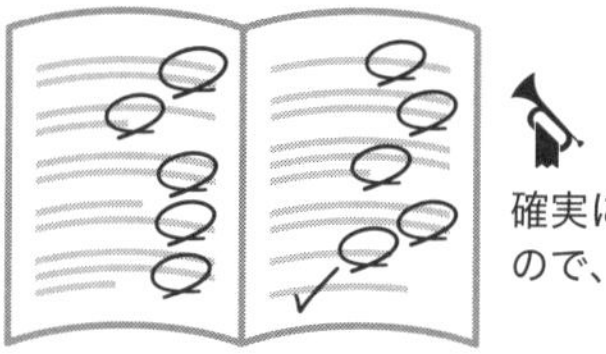

確実に力をつけているので、自信をもつこと

2 寝る前の1日の勉強を振り返ったとき

寝る前にテンションを上げ、翌朝もポジティブな気持ちになる

3 自分で制限時間を決めて時間内にできたとき

制限時間内でやりきり、没頭力を高める

設けることで、時間内にやろうという意識が強まり、没頭力が高まります。いわゆる「タイムプレッシャー」の効果です。

いずれの場合も、大切なのは**「達成感を味わう」**ことです。

たとえテンションが上がらなくても鳴らすようにすると、脳がそれを記憶して達成感を味わえるようになります。その状態を意識的につくってあげるのです。

そのうち、実際の音を使わなくても頭のなかで音が鳴るようになります。私も最初の頃は実際に音源を録音して流していましたが、今は自動的に頭のなかで鳴っています。

受講生のなかには、自分の好きなアイドルの声を録音して、「応援してくれている」と、テンションを高めている人もいました。

勉強のモチベーションを上げてくれるアイテムは、意外と勉強以外のもののなかに隠されているのです。

達成感を味わえるようになれば、自己肯定感が生まれ、ゴールも明確に見えてきます。日常のあらゆるものをスイッチにして、モチベーションを上げていきましょう。

なかなか覚えられないことを覚えるための「ブツブツ法」

みなさんは暗記をするとき、どのようなやり方でやっていますか。

学校の授業では、覚えるべきことは教えてくれますが、どうやって覚えるかまでは教えてくれません。

そこで、多くの人がイメージするのが、小学校のときによくやらされた漢字の書き取りです。何回も書いて漢字を覚えた経験から、今でも暗記は「書いて覚える」ものだと思い込んでいるのです。

もちろん、それで覚えることもできなくはないですが、「書く」という行為は、単純にとても疲れます。それよりも、もっと簡単に効率よく覚える方法があります。

それは、**「声に出して覚える」**ことです。

暗記ものは、声に出して繰り返したほうが断然記憶に残ります。

私の暗記のやり方をお教えしましょう。

自分の耳をふさいで、単語や文章など覚えたいことをブツブツと唱えるだけです。

たとえば、古文の助動詞「る・らる」の活用で「れ・れ・る・るる・るれ・れよ」というのがあります。似たような言葉が並んで覚えにくいように感じますが、こういうものこそブツブツ繰り返して覚えるのに最適です。

最初は見ながら声に出して読んで、次に耳をふさいで唱えます。最後に、耳をふさいだまま、目をつぶって唱えます。一連の動作のなかで覚えたいことを声に出します。この繰り返しが、記憶の定着率を上げてくれます。


「耳をふさぐのはどうして？」と不思議に思われるかもしれませんが、これは耳をふさぐと自分の声の聞こえ方が普段と変わるからです。

「脳は新しいことが好き」とお伝えしましたが、「セルフクイズ法」でも触れたように、いつもと違う声が聞こえるとそれを脳が新鮮だと感じ、記憶に残りやすくなります。この**一種の違和感がフックとなり、よりしっかりと暗記できる**のです。

声に出して繰り返すというこのやり方は、お坊さんがお経を覚えるときにひたすらブツ

声に出して覚える「ブツブツ法」

1 声に出して読む

2 耳をふさいで、声に出して読む

3 耳をふさいで、目を閉じて、声に出して読む

ブツ唱えながら覚えるという話をヒントに考えたものです。自分では**「ブツブツ法」**と呼んでいます。

記憶の定着には自信を持っておすすめしますが、目をつぶり、耳をふさいでブツブツ言っている姿はかなりあやしいので、人前ではなく、「アインシュタイン法」と同じく部屋のなかでやるようにしてください。

超集中スペースをつくる「秘密基地法」

勉強に没頭するようになるトリガーの一つとして、「音」を利用する方法を紹介しましたが、ほかにも「空間」を利用する方法があります。その名は、**「秘密基地法」**です。

誰にも邪魔されない空間をつくって、勉強に集中するのです。

秘密基地——この言葉を聞いただけで、ワクワクする人は多いのではないでしょうか。とくに男性にとっては、子どもの頃からの憧れです。もちろん私も、その一人です。

高校時代には、「誰も入ってこない自分だけのスペースをつくろう！」と、自分の部屋の一角に布を張って仕切り、机と椅子だけを置いた狭い空間をつくっていました。これこそ秘密基地です。この空間で勉強するようになってから、集中力がグッとアップしました。

そもそも**狭い空間は、広い空間に比べて勉強効率がいい**と言われています。たとえば、図書館などの区切られた自習スペースで勉強していると、いつにも増して集中できたという経験はないでしょうか。それと同じように、**狭い空間では、よけいなものが視界に入らないので集中して勉強することができ、成果を得られる**のです。

自分の部屋を区切って使えればそれに越したことはありませんが、すべての人が自分の部屋を持っているわけではありません。

リビングの一角を仕切ってもいいですし、誰も使っていない時間帯のお風呂場や、長時間でなければトイレでもかまいません。また、家のなかに限らず、ネットカフェや会議室、自習室など、ある程度仕切られた空間であれば、そこも勉強スペースになります。

狭い空間であること、仕切られていること。まず、これがポイントです。

一般に、他人に近づかれたくないパーソナルスペース（排他域）は、自分に対して50㎝四方以内と言われています。そこに人が入ってこなければ、集中できます。机と椅子が置けるギリギリくらいのスペースと考えると、イメージしやすいかもしれません。

狭くても暗くなりすぎないよう、勉強しやすい明るさを確保しましょう。

次のポイントは、**「誘惑をなくす」**ことです。

この空間は、簡単に言えば、「勉強専用のスペース」。勉強に集中するためには、勉強に関係のないものは持ち込まないことです。電子機器類も持ち込まないこと。目につくと、ついそこに意識がいってしまいます。

たとえば、勉強しているときについ漫画を読んでしまうことがありますが、それは同じ空間にあるからです。まったく読まないのは禁欲的になりすぎてしまうので、部屋のなかには置かず、読みたくなったらリビングなど別の場所に移動することをおすすめします。

よけいなものを置かないのは、机の上も同じです。

机は、多くの人が壁側につけて置いていると思いますが、そうするとそこにものを立てかけられるため、つい今勉強している教科以外の参考書なども置いてしまいがちです。それも集中を妨げる要因になってしまうのです。机の上は、基本的に何もないまっさらな状態をキープすることです。よく本棚付きの学習机がありますが、私はネジを外して本棚を取ってしまい、教科書は教科ごとに段ボールに入れ、終わったらそこに戻すようにしていました。

また、机が壁側にあると、自分の後ろ側にスペースができ、背後が気になってしまいます。壁を背にしたほうがより集中できます。

このような**「秘密基地」は、「そこに入れば勉強がはかどる」という、一つのスイッチ**にもなります。

どうしても集中できないとき、休憩をするのも悪くはありませんが、「ここがダメならそこ、そこがダメならあそこ」というように、場所を変えることで新たなスイッチを入れていくほうが断然結果につながります。

勉強できる環境とスイッチをいくつも持っている人ほど、どんどん勉強そのものに没頭していけるようになります。

勉強空間をつくる「秘密基地法」

パーソナルスペースをつくることで集中力をあげる

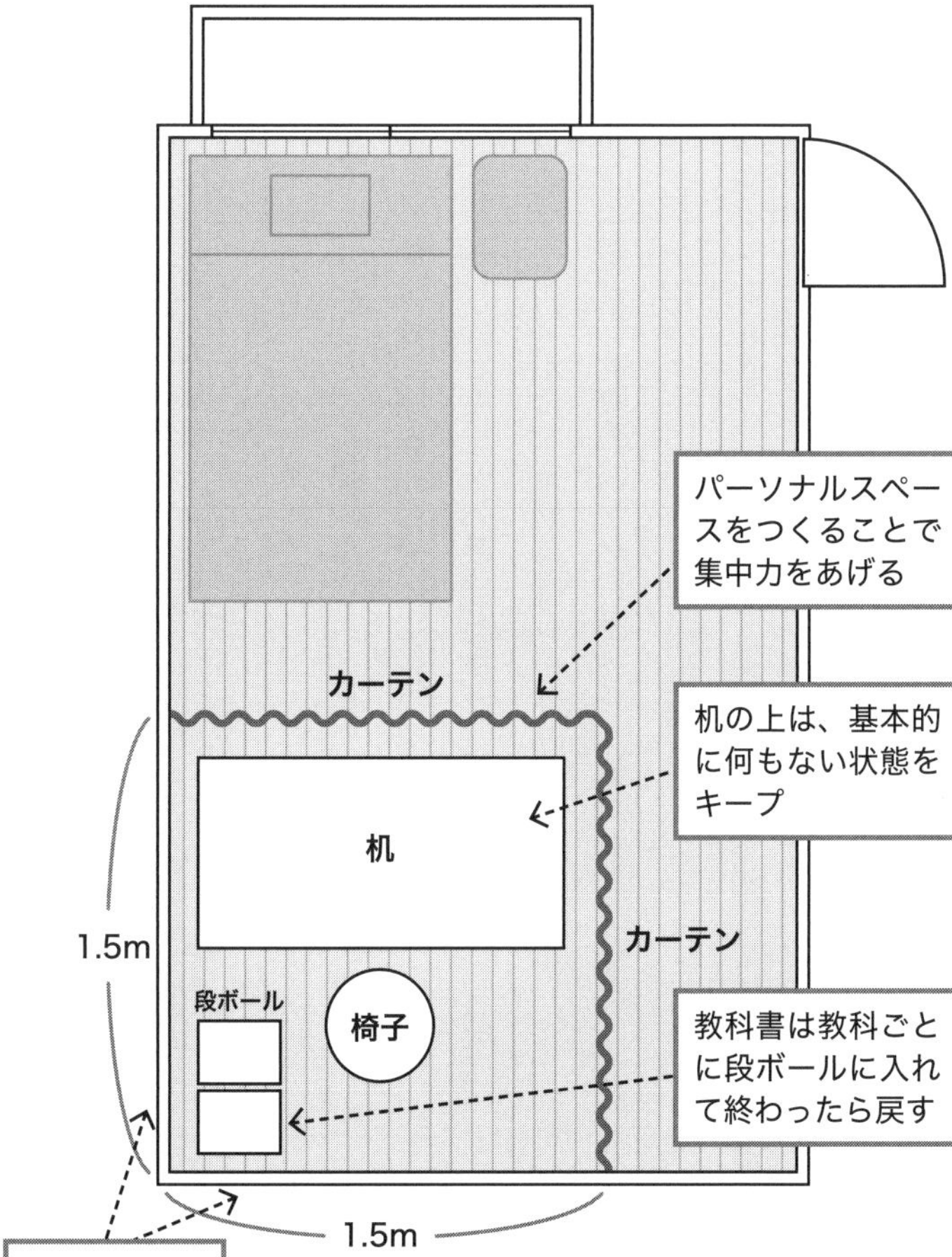
窓がない壁面を利用する

簡単に読むスピードが上がる「キャッチ速読法」

「速読」と聞くと「もっと速く読めたら」と思うけれど、「なんとなく難しそう」「自分には無理」と思って敬遠している人も少なくないようです。

確かに、今の10倍20倍のスピードで読もうというのはハードルが高いですが、3倍4倍くらいなら可能です。2倍にする程度なら、今すぐ誰にでもできます。

そんな手軽な**「キャッチ速読法」**を習得して、勉強の効率を上げていきましょう。

まずは、単語を「かたまり」でとらえて読むことから始めてください。

「りんご」という単語を読むとき、「り」と「ん」と「ご」に分けて読む人はいないと思います。「りんご」という3文字をかたまりでとらえて意味を把握しているはずです。これを常に意識していると、読む速度は上がっていきます。

日本語の名詞の多くは、基本的に漢字とカタカナで成り立っています。助詞を飛ばして読んでも、漢字とカタカナだけ追いかけていけば、大体の意味は理解できます。その漢字とカタカナに数字をプラスして、それらの単語を捕まえていく、キャッチしていくような感覚で読んでみてください。

夏目漱石の名作『吾輩は猫である』の冒頭を例にとってみましょう。

吾輩は**猫**である。**名前**はまだ**無**い。

どこで**生**れたかとんと**見当**がつかぬ。**何**でも**薄暗**いじめじめした**所**で**ニャーニャー泣**いていた**事**だけは**記憶**している。**吾輩**はここで**始**めて**人間**というものを**見**た。しかもあとで**聞**くとそれは**書生**という**人間中**で**一番獰悪《どうあく》**な**種族**であったそうだ。この**書生**というのは**時々我々**を**捕**えて**煮**て**食**うという**話**である。しかしその**当時**は**何**という**考**もなかったから**別段恐**しいとも**思**わなかった。ただ**彼**の**掌《てのひら》**に**載**せられて**スー**と**持**ち**上**げられた**時**何だか**フワフワ**した**感**じがあったばかりである。**掌**の**上**で**少**し**落**ちついて**書生**の**顔**を**見**たのがいわゆる**人間**というものの**見始**であろう。この**時妙**なものだと**思**った**感**じが**今**でも**残**っている。**第一毛**をもって**装飾**されべきはずの**顔**がつるつるしてまるで**薬缶《やかん》**だ。

この文章を「吾輩」「猫」「名前」「無い」……と、漢字とカタカナだけ拾って読んでみてください。想像以上に理解できるのではないでしょうか。

このやり方は、教科書や参考書の目次を読むのにも有効です。

みなさんご存じの通り、目次には高い頻度で使われるワード、試験によく出るワードが集中しているので、かたまりでとらえられるようになると、記憶にも残っていきます。

もう一つ、速読と組み合わせてやると効果があるのが「速聴」です。

読むスピードの遅い人は、たいてい文章を心のなかで声に出して読んでいます。それで時間がかかってしまうのです。音声を速いスピードで聴くクセをつけると、文字情報をとらえるときも同じようなリズムでキャッチできるようになります。

今は倍速にするアプリもありますし、音声で聴く教材もたくさんあります。英単語のCDやアナウンサーが読む日本史などのほか、自分で録音した「セルフクイズ」、また、普段見ているYouTube動画を倍速で視聴してみるのもよいでしょう。

速く読めることのメリットはたくさんあります。

まず、**繰り返す回数を増やせるので、より記憶が定着します。**

試験で、知識はあるのに問題を読むのに時間がかかって解けなかった、という話をよく聞きます。けれども、それも速読のトレーニングを積んでいれば避けられます。

そして、**時間あたりの読める分量が増えるため、勉強の進みが速くなり、達成感につながります。**

たとえば、これまで1時間に5ページ読んでいたのが10ページ読めるようになれば、それだけでプラス5ページ分の達成感が得られますし、10ページも読めたという達成感も同時に生まれます。

休憩したいと思ったときも、「10分でこれだけ読めるなら、休憩しないで読んでしまおう」という気にもなります。

「短い時間でもこんなにできるんだ」という自信が、さらに勉強に没頭する道へといざなってくれます。

第3章

「できない」が「できる」に！
苦手分野が得意分野に変わる

できたことを書いていく

没頭には、「短いスパンで成果が目に見えること」が必要だと、たびたび強調してきました。勉強したことに対するフィードバックが早ければ早いほど、達成感を得られ、没頭しやすい状態をつくることができます。

そのために、最も効果的なのが**「できたことを毎日記録する」**方法です。

その日やったことを記録するのは、ほかのさまざまな勉強法でも言われていることですが、実際にやっている人は意外と少ないように見受けられます。

できたことを記録し、可視化することで「今日はこれだけ頑張れた」という実感がわきます。

また、できたことが少なかったときには「次はもっと頑張ろう」という明日へのモチベーションになるのです。

私の経営する塾では、その日の勉強内容、勉強時間、第2章でお伝えした「イマナニ法」で勉強したことを振り返ったかどうか、「寝る前チェック法」で寝る前の復習をやったかどうかの4点を毎日受講生から報告してもらっています。

その際、こちらからのフィードバックもできるだけ早くするようにしています。夜早い時間に報告がきたらその日のうちに、遅い時間の場合は遅くとも翌日午前中までに「頑張ったね」「ここをもう少しやろう」などと、コメントを返しています。

適切な指導だけではなく、このフィードバックが早いことが、受講生にはプラスに働いていることを実感しています。

この方法は、もちろん個人の勉強でも効果的です。

記録の方法は、とてもシンプル。教材名とページ、勉強時間を書くだけです。

ノートでも電子媒体でもかまいません。そして、第三者からのフィードバックの代わりに、その分野の理解度を自分でチェックするようにします。

理解度のチェックは、あくまでも自己評価なのであまり細かくする必要はなく、「できた」「少しできた」「できない」の3段階を○△×でつけるくらいで十分です。

できなかった問題は、なるべく間をおかずにさらっとでいいので解き直しておきましょう。そうすると、できた感覚がつかめ、より達成感を得られます。

Ａ４用紙一枚に書く「寝る前チェック法」は、終わったら捨ててもよいものでしたが、毎日の記録は、残しておいたほうが自分の進み具合が客観的にわかります。

このような**自己分析こそ、頭のいい人たちが当たり前にやっていること**です。自己分析をすることでゴールが明確になり、成果にたどり着くためにはどうしたらいいのか、手段も自ずと見えてきます。

ちなみに私は、高校時代に「勉強貯金」というノートをつくっていました。シンプルに勉強内容と時間を書いていき、時間を貯金の残高に見立てて記録していくというものです。時間が貯まるのは、お金が貯まるのと同じような感覚でかなりの達成感がありました。

１か月ごとに合計時間を出し、たとえば、「３０００分を超えたらこのゲームができる、この漫画が何巻読める」といった交換リストを自分で考え、モチベーションを上げるというのもやっていました。

東大の建築学部に首席で受かった友人が、「毎月、勉強計画を親に提示しないと、おこづかいをもらえなかった」と話していたのを覚えています。これも、日々の自己分析の賜物と言えるでしょう。

短いスパンのフィードバックを自分で繰り返していくこと。それによって得られる達成感で、誰でも勉強にのめり込んでいくことができるのです。

3つのルールを守れば、確実にのめり込める

「頭のいい人は自己分析をしている」とお話ししましたが、自分が没頭できているかどうかについても、自己分析が必要です。

これまで私がお伝えしてきた没頭するためのマインドやノウハウを実践しているにもかかわらず、どうものめり込めていないと感じるときもあるかもしれません。

そんなときは、何が原因でのめり込めないのか、自己分析をしてみるとよいでしょう。のめり込むためには、3つの「ルール」があります。

ルール1 フィードバックが早い

1つ目は、前項でお伝えした**「ゴールがはっきりしていて、フィードバックが早い」**ことです。ゴールが明確になり、フィードバックが早ければ、日々の達成感が得られてのめ

り込むことができます。

ルール2 コントロールできている

2つ目は、**「その場の状況を自分でコントロールできていること」**です。

たとえば、来週末に英語のテストが迫っており、その勉強をしなければならないのに、他の勉強に追われていたり、休憩ばかりしていたりしては、のめり込んでいるとは言えません。

社会人も仕事や雑務をこなしながら勉強するためには、自分でコントロールしてやるべきことをうまく振り分けられるよう、調整が必要です。集中してやれる環境が整えば、没頭もしやすくなります。

ルール3 バランスがとれている

3つ目は、**「自分の学力と今やっている勉強内容のバランスがとれていること」**です。

第1章でもお伝えしたように、目標を高く持ち、開き直って取り組むのはいいことなのですが、やっていることがレベルに合っていないと効果はありません。

目標が高いとつい参考書もレベルの高いものになりがちですが、勉強を始めたばかりの段階でいきなり東大の過去問をやるのは、さすがに無理です。

ここは「急がば回れ」で、地に足をつけ、自分のレベルに合ったものをしっかりやるようにすることです。

のめり込んだ先の対象が適切なレベルなら、スムーズに目標に向かっていけます。さらに少し欲を言えば、自分の実力よりもちょっと上くらいのレベル、頑張れば手が届くくらいのレベルに挑戦するとパフォーマンスが上がるのでおすすめです。

以上の3つのルールは、どんな勉強にも共通する、没頭できているかどうかのベンチマークです。

この3つを守ってさえいれば、確実にのめり込むことができ、成績が上がるのは当たり前と言ってもいいくらいです。逆に言えば、没頭できていないときは、この3つのルールのなかのどれか、あるいは複数が守れていないということです。

ルールを振り返り、自己分析をして何が足りないかを確認するクセをつけていきましょう。

自分の学力を簡単にチェックする方法

ここでは、前項で触れたルール③「自分の学力と今やっている勉強内容のバランスがとれていること」を深掘りしていきます。

東大受験用の英語を勉強しているのに、アルファベットをきれいに書くことにこだわる人はいないでしょう。やるべきものが自分のレベル感に合っていなかったら、当然没頭もできません。

バランスがとれているかどうかを確認するには、今の自分の状況を分析する必要があります。

私の塾では、入ってきた受講生全員に、これまでどんな勉強をしてきたかを振り返ってもらっています。それによって受講生の「今の状況」を把握するのです。「今の状況」をより具体的に言うと、「今の学力と、志望校や目指している資格などとのレベルのギャップ」です。

ギャップをチェックしたうえで、使うべき参考書を決定していきます。本来なら専門家に頼るのが手っ取り早いのですが、一人でもできる簡単なチェック方法があります。

それは、自分が合格したい試験の過去問を見ることです。

レベル1 ちっともわからない

まずは試しに、解けるか解けないか、やってみてください。できなくても落ち込む必要はありません。最初から解ける人なんていないのですから。これはあくまでも、今の状況を把握するためです。

問題文の意味からしてよくわからない、答えを見てもわからないという人は初学者なので、入門書から取り組むべきです。

漫画で描かれた入門書や、中学生レベルの初級教材に戻り、段階を踏んでいきましょう。自分ではわかっているつもりだった人も、過去問を解いてみると、意外とわからなかったということもあります。わかったつもりで進んでしまうと、この先ますます理解できなくなってしまうので、恥ずかしがらずに入門書に戻ることです。

レベル2 答えがわからない

次に、問題の意味は理解できるけれど答えはわからないという人は、初学者ではありませんが、やはりまだ初期のレベルです。易しい教材から取り組み、やってみて難しかったら入門書に戻りましょう。

レベル3 解説を読めばなんとなくわかる

答えのわかる問題もあるけれどわからない問題もある、あるいは、解説を読めばわかるという人は、易しい問題集をさらっとやった後に本番の試験と同じレベルの教材をやることをおすすめします。

レベル4 ある程度わかる

どの問題もある程度わかるという人は、過去問メインで勉強をするのがいちばんです。どんな試験でも過去問に勝るものはありません。過去問をたくさんやればやるほど、苦手分野がはっきりしてくるので、攻略ポイントも明確になります。

繰り返しになりますが、今挙げた4つのレベルに共通して言えることは、**「前のレベルに戻るのを恐れる必要はない」**ということです。初学者の場合も、「こんな入門からやるなんて」と思わず、地道に進んでいきましょう。

難しい試験ほど、焦って先へ進みがちですが、それでは本末転倒です。

ここでも「急がば回れ」を肝に銘じてください。

「やる」「やらない」「達成」をイメージする

ほとんどの試験には、期限が存在します。

受験勉強は言わずもがなですが、社会人の資格試験にも期限があります。期限を決めずに漠然と勉強している人は、まず「いつ試験を受ける」「いつまでに合格する」など、具体的な期限を決めないと、なかなか目標に到達できません。

期限を決めたら、イメージすることが重要です。

まずは、試験までに「やる」ことです。

たとえば、TOEIC®には教材が無数にあります。もちろん、それを全部やったら楽勝でしょう。

しかし、現実的に不可能ですし、そもそも全部やる必要はありません。**何をやるかを選**

別し、自分でしっかり決めることが大切です。

ほかの人から「これをやったほうがいい」とアドバイスされたとしても、言われたからやるのではなく、**自分の意思で決めた、というイメージを持つ**ようにしてください。

そして、**やることも徹底的に明確にイメージ**します。どの参考書を何冊、いつまでに、と決めると目標がよりはっきりするので、進みやすくなります。

「やる」ことと同時に、「やらない」こともイメージしてほしいのですが、この「やらない」ことを決めるのが意外と難しいのです。

合格したいと思えば思うほど、不安になってあれもこれもやってしまいたくなるからです。

けれども、**やることを決めるということは、裏を返せばやらないことを決めること**でもあります。

やることが明確になっている時点でやらないこともはっきりしているはずなので、やることだけに集中しましょう。

たとえば、期日が迫っている試験で「近現代史」がよく出るなら、「古代史」はやらないという優先順位づけです。


そして、**「達成」をイメージ**します。「達成」には2種類あります。

一つは、**「達成」そのものをイメージすること**です。

これは、私が教えるなかで受講生のほうから出てきたことです。

「この参考書をやっていたら、どれくらい点数が取れますか？」と質問されたとき、私は「70点は取れるようになるよ」と答えたのですが、この「70点を取る」という「達成」のイメージを持つことが大切だと気づかされました。

「目標」と言い換えてもいいでしょう。勉強をする際には、「この参考書を最後までやって、模試の点数を10点上げる」といった、具体的なイメージを持って取り組むのが有効です。


もう一つは、**「達成した後」のイメージを持つこと**です。序章でも少し触れましたが、じつはこれがいちばん効果的です。

私は、大学受験の合格発表の日をかなり具体的に妄想していました。

「やった、受かった！」というだけではなく、家族みんなで見に行き、人混みをかき分けて掲示板にたどり着く様子などを頭のなかでイメージしていました。

中学の合格発表のとき、自分で番号を見つけたかったのに父が先に見つけてしまったということがあったので、そのシーンを思い出して合格したときの喜びを頭のなかで繰り返し反芻するということもしていました。


なかなかモチベーションが上がらない人は、達成後のイメージが足りないのかもしれません。

志望校のサークルの情報を収集したり、合格したい資格試験に受かった人の話を聞いてみたりするなど、より具体的に、ワクワクできるようなことをイメージすると、勉強にもグッとのめり込んでいけます。

一人で勉強するのは孤独なものです。

挫折してしまいそうになったときに、この「イメージする」ことが背中を押してくれます。

もう一人の自分に励まされているような感覚で、常にイメージをしてみてください。

机でやるだけが勉強ではない

みなさんは、普段どこで勉強をしていますか。

おそらくほとんどの人が、「机に向かって」勉強しているのではないでしょうか。

私は、入塾した受講生に、勉強をどこでやっているかを質問するのですが、自分の部屋や学校、自習室など場所の違いはあっても、やはり全員が机で勉強していると答えます。

第2章「アインシュタイン法」でも触れましたが、頭のいい人は机だけで勉強しているわけではありません。

私自身、受験勉強時代は、お風呂やトイレ、移動中でも勉強していました。移動中というのは、電車や車の移動に限らず、家のなかでリビングから勉強部屋に向かう途中なども含まれています。

つまり、どこでも、**ありとあらゆる場所が勉強スペースになりうる**のです。

このときの私は、受験勉強というゲームをいかに短時間で効率よくクリアするかに没頭していました。机に向かってずっと座っていると体に負担がかかり、脳の血の巡りも悪くなります。だから座って机で勉強し続けるのは、じつはとても非効率だと思ったのです。

私たちは、小学校のときから、勉強とは「机でやるもの」と、すりこまれてしまっています。

親から「勉強しなさい！」と言われるのも、机に向かっていないときです。

逆に、もし机に向かっていたら、漫画本にカバーをかけて読んでいても勉強していると思われるかもしれません。

それくらい世代を超えて固定観念が定着しているので、机に向かうこと自体が嫌になってしまっている人もいるでしょう。

まずはこの固定観念を外して、どこでもいいのでほかの場所で勉強してみてください。ベッドに寝転びながらでも、ソファに座りながらでも、テレビを見ながらでもいいのです。勉強が進まなくて、結局8割はテレビを見てしまったとしてもかまいません。

京大の同級生たちに聞いてみても、机に向かって勉強していたという声はあまり聞きません。

また、子どもの学力が高いことで有名なフィンランドでは、学校に机を置かずに、マットやソファ、クッションなど、自分の好きな場所で勉強できる環境があるそうです。

教室という空間の自分の席にだけ縛り付けられ、ずっと同じ姿勢でいなくてはいけないという強迫観念のようなものが、「勉強は苦しいもの」というマイナスイメージにつながっているのではないかと思います。そういう点からも、**場所を変えて勉強するのは、大いに効果的**です。

いきなりすべての環境を変えることは難しいですが、できる範囲で変えてみてください。そうすると意識も変わり、より楽しく勉強ができるようになるはずです。

「勉強は苦しいもの」というマイナスイメージから脱却し、自由になりましょう。

勉強を「楽しむ」ためのちょっとした「工夫」をする

「勉強はつらいもの、苦しいもの」というマイナスイメージをなくすには、どうしたらいいでしょうか。

受講生からもよく「勉強がつらい、手につかない」と相談を受けますが、いったんそう思い込んでしまうと、「苦しい状況をいかに乗り越えるか」という方向に全神経が集中してしまい、どんどん没頭からかけ離れてしまいます。

つらい、苦しいといった負の感情に「耐える」のではなく、**「どうやったら勉強がおもしろくなるのか」を考え、実行していく**のがおすすめです。

前にもお話しした通り、どんな勉強にも本当はおもしろいポイントがあり、そのポイントにのめり込んだ先人がいたからこそ、学問はここまで発達したのです。

ただ、そのポイントは目に見えるわかりやすいものではなく、見つけるまでに多少の時間がかかります。

そこで、勉強のおもしろさがより早くわかるよう、自分で工夫をしていく必要がありま す。

たとえば、参考書はどれもこれもが難しいものではありません。

歴史の勉強も、事実が羅列されているだけではなかなか頭に入ってきませんが、漫画だとキャラクターがどういう感情で行動したのかがわかり、ストーリーが入ってきます。

このように、感情にフォーカスして「勉強をドラマ化」するのは、おすすめの手段です。

もちろん、ほかの科目にも、おもしろく、わかりやすく書いてあるものがたくさんあります。それをヒントにおもしろいポイントが発見できれば、しめたものです。

つらい勉強を乗り越えるためではなく、勉強を楽しむための工夫をしてみてください。

私はいつも受講生にこう言っています。

「どうせ頑張るなら、効率の悪い努力ではなく、成果につながる努力をしよう」

どんなことも、楽しめるのがいちばんです。

つらいと思っている人は、結局、楽しんでいる人には勝てないのです。

「つまらない」「つらい」「耐えられない」

そんな〝3T〟の勉強とは、もうお別れです。

私は、苦手で楽しくないと思った参考書を学習するとき、表紙に「簡単、楽しい!」と目立つように書き込んでいました。

また、カラオケ店で勉強して、息が詰まったら思い切り一曲熱唱、また勉強に戻るといった方法をとったこともあります。

ほかにも、参考書を役者になったつもりで感情を込めて朗読したり、友達と学食をかけてテストの点数を競ったりと、さまざまな工夫をしました。

つらいことに耐える努力ではなく、つらいことを楽しくする努力をしましょう。

読んでも理解できないとき、どうする？

「読んでも理解できなくて、困っています」

これも、受講生からよく相談される悩みです。

勉強の初期ではなく、ある程度勉強を続けてきた段階でよく受ける相談なので、「いい状態で進んでいる証拠」と、私はプラスに解釈していますが、「どこがわからないの？」と聞くと、「ええと……」と、答えに詰まってしまう受講生が多いのです。

そこで「ここなんじゃない？」「そこではなく、この部分なんです」などとやりとりをしていると、「あ、わかりました」と納得するケースがけっこうあります。

つまり、**どこが理解できないかを明確にすると、その過程で理解できてしまう**のです。

したがって、**わからないところはできるだけ明確に、具体的にしておくことが重要**です。

理解できない箇所は、人に聞いてしまうのがいちばん手っ取り早い解決策です。

私の塾でも、「いつでもなんでも質問できるクラス」というのを設けていて、教科によって担当講師を決め、基本的にその日のうちに回答するようにしています。

とはいえ、一人で勉強していると、人に聞くのが難しいときがあります。

そのときの解決方法は2つあります。

一つは、**とりあえず先に進んでしまう方法**です。

勉強内容にもよりますが、ちょっとわからないくらいのレベルなら、先に進んだほうが前の内容が理解できる場合があります。現代文なども、後で具体例が出てくるとわかることがよくあります。

もう一つは、**思い切って前のレベルに戻る方法**です。

理解できないままだと次に進めないなら、入門書を振り返ったほうが得策です。とくに英語などは積み上げ式なので、わからなければ戻るのがいちばんの近道です。

理解できないことをネガティブに考える必要はありません。

このような**疑問がわいてくるのは、すでに没頭の域に近づいている証拠**です。

できないことをそのままにせず、解消しようと思っているわけですから、だいぶレベルが上がってきているのです。

また、理解できていない箇所を特定していくことで、理解できることもあるように、理解まであと一歩のところまできていることもあります。

そして、理解できなかったことが理解できるようになるという成長は、あなたを勉強に没頭させるきっかけにもなるのです。

睡魔に負けない5つのテクニック

勉強の内容以外の悩みで意外と多いのが、「勉強していて眠くなってしまう」というものです。

とくに社会人の方などは、日中仕事をして、夜帰宅してから勉強するパターンがほとんどです。眠くなってしまうのは、ある意味いたしかたないことです。

ここでは、私が睡魔をコントロールする5つの方法をご紹介しましょう。

◉深呼吸をする

眠くなる要因の一つとして、脳内の酸素が不足することが挙げられます。

深く呼吸をすることで、酸素を取り入れることができ、眠気が解消されます。

完全に眠くなってしまうとダイレクトな効果はないので、「眠くなってきそうだな」と思ったくらいのタイミングで取り入れてください。

呼吸法にはいろいろなやり方がありますが、ここではシンプルな方法を紹介します。基本は息をゆっくりと限界まで吐ききり、鼻からゆっくり吸う。これを3回繰り返すだけです。

朝日を浴びる環境をつくる

眠くなってしまう原因には、日頃の睡眠の質がよくないことも考えられます。

人間は、朝日を浴びると、目覚めを促す脳内物質「セロトニン」が分泌され、体内リズムが整うようになっています。

セロトニンは睡眠ホルモン「メラトニン」の分泌も働きかけるため、セロトニンが増えることで夜もぐっすり眠れるようになります。

大昔の人は暗くなったら寝て明るくなったら起きるという生活をしていたので、自然に体内リズムが整っていましたが、夜も明るい現代ではそのリズムが狂いがちです。

リセットするのにいちばんいいのは、実際に朝日を浴びることですが、それはなかなか難しいかもしれません。そのような場合は、光を調節できるライトが市販されているので、それを使うと朝日の代わりになります。私も使っていますが、起床時間の30分前から徐々に明るくなるように設定しているので、自然にすっきりと目覚めることができます。

寝る前に湯船につかる

寝る前には、シャワーではなく、湯船につかると、血行がよくなってリラックスでき、よく眠れると言われています。次の日に睡魔に襲われることもないでしょう。

寝る前といっても寝る直前ではなく、寝る1時間くらい前がベストです。

人は、深部体温が低下すると眠くなります。お風呂に入った直後だと体が温まってまだ深部体温が高く、寝ようと思ってもかえって目が冴えてしまうので、1時間後くらいに横になるのがいいのです。

お湯の温度はあまり熱くしすぎず、40度前後くらいにするとよりリラックスできます。

ストレッチをする

お風呂から出た後は、ストレッチをしましょう。

私のおすすめは、背中に棒状のストレッチグッズをあて、10〜15分、寝転びながらやるストレッチです。これをやると胸骨が開くので、呼吸が深くなり、睡眠の質が上がります。

現代人の呼吸は全般的に浅くなりがちだと言われているので、意識的に胸骨を開くことを心がけるとよいでしょう。

また、体が柔らかくなると血流がよくなり、脳も活性化します。普段からストレッチを習慣にしておくと、勉強に集中しやすくなります。

◉ブルーライトを避ける

私たちが日頃使っているパソコンやスマホの画面は、ブルーライトという覚醒作用のある光を発しており、睡眠に悪影響を及ぼすと言われています。

私は、夜9時以降になったらブルーライトカットのメガネをかけて作業するようにしています。近眼なので度が入ったメガネを使っていますが、度の入っていないブルーライトカットメガネもあるので、目の悪くない人はそちらを使ってください。

また、寝る前にスマホを見る習慣がある人も多いと思いますが、夜は画面の明るさが自動で暗くなる「夜間モード」に設定することをおすすめします。私はこちらも、夜9時以降からの設定にしています。

できれば、ブルーライトカットのメガネをかけたうえで、「夜間モード」の画面を見るようにしましょう。

以上のことを日常の生活に取り入れておくと、睡眠の質を上げることができ、勉強中も眠くなりにくくなります。睡眠を改善することで勉強効率が上がり、成績もアップした受講生を何人も見ていますので、これを機にぜひあなたも睡眠を見直してみてください。

食事を変えるだけでこんなに没頭できる

眠くなってしまうといえば、食事の後もそうです。

「お腹がいっぱいになると眠くなる」

誰もが経験していると思いますが、これは食後に血糖値が急上昇してしまうせいです。

とくに、炭水化物をお腹いっぱい食べてしまうと、よりその傾向が顕著になるようです。

朝昼夜の3回の食事は、どれも食べすぎてはいけませんが、夜はとくに控えめにしたほうがいいでしょう。

お腹がいっぱいの状態で寝てしまうと睡眠の質が下がり、翌日にも影響が出てしまいます。勉強中によく眠くなってしまうという人は、食べ方を見直してみてください。

食事は、脳の働きにも大きな影響を及ぼします。

脳の栄養はブドウ糖なので、炭水化物を摂ることが必要ですが、その際に豚肉、大豆、ブロッコリーなどのビタミンB_1を含む食物を一緒に摂取すると、炭水化物がブドウ糖に変わるのを助けてくれ、集中力や記憶力の向上に効果があります。

また、さんま、ぶり、あじ、いわしなどの青魚に含まれる不飽和脂肪酸（ＤＨＡ、ＥＰＡ）には血液の循環をよくする効果があり、処理能力・判断力を高めてくれます。

そのほかにも、大豆、ナッツ、卵などに含まれるレシチンは神経伝達物質をつくる働きがあり、脳の活性化に役立つと言われています。

さらに、昔からある「３時のおやつ」は、脳の働きから考えると、とても理にかなっている習慣と言えます。

昼食後の眠くなりやすい時間にリフレッシュすることができるうえ、脳のエネルギー源である糖を補給することで、その後の夕方まで勉強や仕事の効率も上がります。

たくさん食べるとかえって栄養が脳にいかなくなってしまうので、チョコレート１個くらいにしておくとよいでしょう。私もかるたの試合の前には、よくチョコレートでエネルギーを補給しています。

勉強や仕事のブレイクタイムに飲み物を飲む人も多いと思いますが、飲むなら断然紅茶です。

オランダのある科学者の実験で、紅茶に含まれるL－テアニンとカフェインが作業の集中力を高める作用があるとの研究結果が発表されています。

脳の栄養はブドウ糖とお話ししましたが、ブドウ糖とカフェインの組み合わせが作業効率を上げてくれるので、多すぎない量の砂糖を入れるのは有効です。

また、紅茶に入れるのはミルクよりもレモンがおすすめです。レモン果汁には、疲労物質を代謝するクエン酸が含まれており、疲れをやわらげてくれます。

どうしても眠くなってしまう場合、ごはんの量を減らしてレモンティーを飲んでみてください。

私の受講生のなかには、**眠くなってしまうのは、「意思が弱い」「やる気がない」からだと、自分を責めてしまう人もいますが、そうではなく、単に食べ方の問題**です。

食べ方を改善するときに、ぜひ取り入れてほしいのが**「セカンドミール効果」**です。

これは、1982年、カナダ・トロント大学のジェンキンス博士によって発表されたもので、最初の食事（ファーストミール）が、次の食事（セカンドミール）の血糖値の上昇にも影響を与えるという概念です。

先ほどもお話しした通り、人は血糖値が上がると眠くなってしまうのですが、血糖値の上昇を抑えるには、食物繊維を摂るのが効果的です。

ここでセカンドミール効果に基づいて、眠くなりたくない時間帯の一つ前の食事から食物繊維を摂るようにするのです。

たとえば、まだ寝る時間ではないのに眠くなる場合は、昼食に食物繊維を摂るようにすると、夜の食事の血糖値の上昇も抑えられ、眠くなりにくくなります。ゆで卵、ヨーグルトや納豆などの発酵食品、大豆製品と一緒に摂るとより効果が高いとも言われています。

食生活をすぐに全面的に変えるのは難しいかもしれませんが、意識してコントロールしてみてください。

食べ方や習慣を見直すことで得られる効果は、想像以上に大きいのです。

おもしろきこともなき世をおもしろくする「コミットメント契約」

勉強に没頭するための仕組みについて、これまでお伝えしてきましたが、究極の方法としてお教えしたいのが、「コミットメント契約」です。

「コミットメント（commitment）」とは、「約束」「委任」などを指し、契約の範囲内で銀行が融資を実行する約束について、「コミットメント契約」という言葉を使うことがあります。

そこからは少し文脈が外れてしまいますが、「勉強を続けるために誰かと契約を結ぶ」という意味で私は使っています。家族や友人に協力してもらい、契約相手になってもらうのです。

目標を設定して、それが達成できたらご褒美《ほうび》をもらえるというのは、よくある契約です。

私は、それと並行して、達成できなかったときの「おしおき」も用意し、契約します。

いわば「アメとムチ」です。

ポイントは、アメよりもムチを重めにすること。そのほうが、「絶対に達成する！」という意識が芽生えて頑張れるのです。

私の受講生たちを見ていると、ご褒美は人それぞれですが、罰のほうは、「一定期間スマホが使えない」というのが圧倒的に多いようです。

確かに、止められたらいちばん困るものかもしれません。なかには、「募金をする」という受講生もいました。私は、友人に現金を渡し、「目標を達成できなかったらこれで好きなものを買って」という契約を結んだことがありますが、いずれも実際にやったことは稀です。

あくまでも、モチベーションに火をつけるための最終手段だと思ってください。

ただ、このようなちょっとした遊び心を持つと、勉強もたちまちおもしろいものに変わるということは、ぜひ覚えておいていただきたいです。

「おもしろきこともなき世をおもしろくする」

これは、高杉晋作《たかすぎしんさく》の辞世の句と言われている言葉です。

私の座右の銘でもあります。

おもしろくないことを、ただおもしろくないからといってやらないのはあまりにももったいないです。

おもしろくないなら、自分でおもしろくする工夫をすればいいのです。

そうすれば、どんなことも絶対に楽しくなります。楽しくなってしまえば、あとはこっちのもの。成績は自動で上がり、気づいたら目標を達成しているはずです。

第4章

頭のいい人だけがやっている楽しく勉強を続ける習慣

のめり込むまでは何かの習慣にのせる

「勉強の習慣がなかなか身につかないのですが、どうしたらいいでしょうか？」

これは、私の受講生の親御さんから多く寄せられる質問です。

確かに、勉強法をマスターしても、続かなければ成果には結びつきません。続けるためには、いくつかのコツがあります。

いちばん簡単で手っ取り早いのは、すでに習慣になっているものにのせてしまう方法です。「塾の送り迎えの車のなかで英語のＣＤを聴く」「通勤する電車のなかで必ず勉強する」などと決めれば、いやおうなく毎日やるようになります。

もっと日常生活に欠かせないものにのせてしまう方法もあります。

その最たるものは、「お風呂」です。お風呂に入らない人はいないので、この時間を勉強にあてれば、確実に習慣になります。

私は、小さい頃からお風呂場が勉強場所でした。小学校のときは、お湯をかけると文字が出てくる日本地図を壁に貼っていて、湯船につかりながら地名を覚え、その後は世界地図にランクアップして世界各地の地名も覚えていきました。意識せずとも、自然に勉強する習慣が身についていたのです。

お風呂でリラックスしたい人は、無理にやらなくてもかまいません。湯船につかっている時間、「ボーッとしていてもったいないな」と感じていたら、ぜひその時間を勉強時間に変換してみてください。

お風呂で勉強するためには、濡れてもいい教材が必要になります。いちばんおすすめなのは、覚えたいことを書いた紙をラミネート加工することです。

今はラミネーターも数千円で手に入るので、手軽につくることができます。

また、高校生向けにはお風呂で使える参考書も販売されているので、それを活用するのもいいでしょう。

髪を洗っているときは、さすがに教材を見るのは難しいので、防水イヤホンやお風呂用スピーカーを使って耳からの学習をしてみてください。

第2章でお伝えした、セルフクイズの録音をお風呂で聴くようにすれば、復習の自動化もバッチリです。


このような習慣をつけると、わざわざ時間をつくらなくても毎日20～30分ほど勉強時間が伸びることになるので、効率面でも効果的です。


もう一つ、誰もが絶対行く場所といえば、「トイレ」です。

トイレの壁にも、勉強したいことを貼るのがおすすめです。

ただ、お風呂と違って長時間いるところではないので、初めての分野の勉強よりは、これまでやってきたもの、やってきてできなかったものをリスト化し、それを貼るのがおすすめです。

パッと見られるように1枚にまとめたものがあれば効果的です。トイレは、「5分勉強してから出る」という習慣をつけるとよいでしょう。

「すごくない?」と言われることをやる

私は、3か月で12キロのダイエットに成功したことがあります。

「競技かるたの名人戦が控えているから、少しでも体をしぼって動きやすくしておきたい」。そんな思いは持っていましたが、それだけだったら、正直そこまで体重を落とす必要はありません。

それよりも私をダイエットに突き動かしたのは、仲のよい友人から言われた、「最近お腹が出てきたね」という一言でした。

友人とは、3か月後の名人戦と同じ時期にまた会う約束をしていたので、『3か月でこんなに痩せてすごい!』って言われたい!」と思い、ダイエットに臨んだのでした。

世間では、名人戦に向けて痩せたことになっていますが、単純に友人から「すごくない?」と言われたかったというのが本当の動機でした。

「名人戦のために痩せる」ほうが高尚な目的ですが、意外とシンプルな欲求のほうがモチベーションは上がるのです。

このダイエット話には、目的を達成するためのポイントが3つ現れています。

まず1つは、**「褒められる」**ことです。

「承認欲求」は、多かれ少なかれ誰もが持っているものです。Instagram などのアプリがあれだけ浸透しているのも、「見てほしい、褒めてほしい」という欲求があるからでしょう。

人から褒められると承認欲求が満たされ、さらに褒められたくて続けていけるようになります。

「すごくない？」と言われることをやり続けるには、人から褒められるのが大前提です。

2つ目が**「数字目標」**で、3つ目が**「時間軸」**です。

数字目標は、私の場合、12キロというかなり大きな数字だったので、周囲にインパクトを与えたのだと思います。

3か月という時間軸も大きいです。同じ12キロのダイエットでも、3年だったらイメージは全然違います。

「3か月で12キロ」だからこそ人が驚くわけで、私自身、痩せたときの友人や周囲の驚いた顔を想像するとワクワクしてきて、それが見たくてダイエットを続けたと言ってもいいくらいです。

この3つのポイントは、そのまま勉強にも置き換えられます。

短期間で成績が急上昇すれば、間違いなく人から褒められます。

それを達成するためのノウハウはこれまでお伝えしてきているので、ポイントを押さえるだけでラクに実行できます。

勉強とダイエット、この2つはけっこう似ています。

ダイエットに成功できたなら、勉強でも目標が達成できるはずですし、逆もまた然りです。これまで挫折してきた人は、ぜひ「すごくない？」と言われることを目指して、再挑戦してほしいです。

自分の成果をアピールする

前項でも触れた通り、人は褒められると承認欲求が満たされ、モチベーションが上がります。

私も、受講生が頑張ったなと思えるところはなるべくすぐに褒めるようにしています。

褒められると人は安心し、ラクに次に進んでいくことができます。

しかし、独学で勉強をしている場合は、褒めてくれる相手が常にいるとは限りません。

自分から成果をアピールし、人に褒められるような場をつくる必要があります。

アピールが強いとあまり人からよく思われず、自慢していると受け取られてしまうこともありますが、現在はＳＮＳの発達により、アピールすること自体のハードルは低くなってきました。

以前に比べると、はばからずにアピールできるので、これを利用しない手はありません。

私は筋トレをやっているのですが、ほかの人がどうやっているか、どう筋肉が変化していったかを見ると、「自分も頑張るぞ！」というモチベーションになります。

逆に、自分が競技かるたの練習についてSNSにアップすると、かなりの「いいね！」がつき、やはりモチベーションが上がります。これも「承認欲求」が満たされるからです。

今の時代、勉強アカウントをつくっている学生がかなりいます。勉強に関する情報収集ができ、同じ試験を目指している友人もできるので、情報交換の場にもなります。

しかし、それよりも自分の勉強内容を発信して人から注目されることで承認欲求が満たされ、より没頭できるという効果のほうが大きいでしょう。

ある私立の進学校では、受講生間でテストの結果の見せ合いや勉強の教え合いが頻繁に行われているそうです。

インターネットの世界だけではなく、現実にも相互にアピールできる場があるのはとてもいいことだと、私は感じています。

成果を上げるための導線は、いくつあってもいいのです。

「やった」という達成感に、誰かに認められることで生まれる自己肯定感が加われば、ど

んどん成果を上げることができるでしょう。

人に褒められることは、最もシンプルなモチベーションアップの方法なのです。

一見、関係のないものをつなぐことで、毎日が学びの場となる

第1章でお話しした、マルチ・ポテンシャライトの話を覚えていますか。

頭のいい人、勉強にのめり込める人は、複数の分野のものをつなげて、新しいものを生み出すことができます。

ほかの人には一見関係のないように見えるもの同士の共通項を見つけ出し、活用するのも得意です。

そのような人たちは、ちょっとかじったことも自分のストックになっているので、「あ、あのとき勉強したアレは、コレと似ている」と気づいて応用することができます。

そのようにつなげて考えていくと、どんどんアイデアが出てきて楽しくなり、気づいたら没頭しているのです。

頭のいい人たちが何気なくやっている、この**関連づける作業を習慣にしてしまえば、応用力もつき、没頭も手に入れることができます。**

アップル社を設立したスティーブ・ジョブズは、2005年の米国スタンフォード大学の卒業式にて、「点と点をつなげる」という話をしています。

ジョブズは大学を中退した後、自分の好きなことをしていた時期があり、それがMacを生み出すのにとても役立ったそうです。

点と点をつなげるというのは、つまり「バラバラの経験であっても、将来それが何らかの形でつながる」ということ。たくさんの東大生や京大生、頭のいい方とお話をしてきて、彼らには「つなげる感覚」が共通していると感じました。

考えてみれば、『ドラえもん』に出てくるものもそうです。

竹とんぼとヘリコプターを組み合わせた「タケコプター」や、翻訳とこんにゃくを語呂合わせで合体させた「翻訳こんにゃく」など、一見関係のないものをつないでできたものばかりです。こんなものがあったらいいなと想像するのも、考える力、アイデアを生む力につながっていきます。

いろいろなものを関連づけて考える習慣をつけると、知識が深くなり、知識同士のつながりが増えていきます。

この感覚は、勉強において「学んだことを応用すること」と非常によく似ているのです。学んだことをただの丸暗記に留めるのではなく、ほかの問題に応用する力に変えます。この力を鍛えるためには、**まず「何にでも学びがある」という意識を持つこと。加えて、「学んだことを自分に当てはめて考えるクセをつける」こと**です。

「何にでも学びがある」という意識を持つことで、日常生活のすべてが勉強にプラスに働くようになります。

「学んだことを自分に当てはめて考えるクセをつける」ことができれば、**「問題の本質をとらえる力」**がついてきます。

普段の意識を変えるだけで、毎日が学びになることに気づくはずです。

お金と時間を使ったぶんだけ、やめられないようになる

みなさんは食べ放題に行ったときに、「元を取らなきゃ！」と思い食べすぎて苦しくなってしまったという経験はあるでしょうか。私はあります。

人は、お金をかけるとその元を取りたくなってしまう生き物。これは第1章でお伝えした「サンクコスト効果」でしたね。それをうまく勉強に利用してやれば、勉強に没頭する助けになります。

資格試験を目指して勉強されている方は、最初に試験の申し込みを済ませてしまうという方法もあります。「受験料がもったいない」という気持ちを利用するわけですね。

これはなかなか効果的で、「今回はまだ準備不足だから、次の回に受けよう」という先

延ばしも回避できます。

これに近い効果として、**「そのものごとにかけた時間」を積み重ねることで、「やめるのがもったいない」という状態をつくる**ことができます。

私は受験生時代、勉強時間を記録することで達成感を得ていただけでなく、「これだけやったんだから、勉強を続けないともったいないなー」という気持ちをつくっていました。

今はスマホのアプリを使って、勉強時間を記録しています。記録する、見える化することは、達成感を得る意味でも、継続を促す意味でも有効なのでぜひ取り入れてください。

- **お金と時間を積み重ねる**

↓

- **元を取りたくなる、やめるのがもったいなくなる**

↓

- **勉強を継続する**

という流れをつくることができればこっちのものです。

私は、ＲＩＺＡＰでみんなが痩せることができるのは、最初にお金をがっつり払っていることが大きいと考えています。

何十万円も使ったんだから、痩せなきゃもったいない！という気持ちが、継続するのが難しいダイエットを可能にしているのです。

私はこれまで、勉強はもちろんのこと、それ以外のことも「形から入る」タイプでした。

大学院時代、ものすごくダーツにハマったときもそうです。

このときは毎日5～6時間継続してダーツの練習をしていたわけですが、このときも最初にお金をかなり使ったのを覚えています。

ダーツの矢だけでなく、自宅で練習できるようにダーツボードも購入し、さらには京都から横浜のプロのもとにレッスンに通ったりもしました。今考えると、けっこうなお金を使っていたと思います。

何事も、没頭し続ける、ハマり続けるにはエネルギーが必要です。

最初は楽しくてしかたなかったのに、実力が伸び悩むと楽しくなくなる時期も来ます。

そのときに「お金と時間をがっつり使った」という事実は、あなたを継続に向かわせてくれるでしょう。

浅くハマったことから、深くのめり込むことが出てくる

「噛めば噛むほど味が出る」という言葉があります。

何事も、やり始めからすぐにハマり、没頭することができればそれに越したことはないのですが、なかなかそうはいかないものです。

たとえば、英語の勉強。文法や単語を暗記する地味な作業が続くのは、なかなかつらいものです。でも、それを乗り越えることができれば、英語がだんだんと楽しくなってきます。

洋書を読んで内容がスッと頭に入ってきたり、海外映画を観て聴き取れる部分があったりすると、大きな達成感が生まれます。

そうなれば、「もっと勉強しよう！」という気持ちが自然と湧き上がってきます。

私は、今でこそ勉強を教える仕事をし、塾では英語科の主任をしていますが、最初から

英語が得意だったわけではありません。

英会話の教室は遊びの要素が強かったため、小学校低学年のうちから楽しく通っていましたが、文法はさっぱりでした。

英検5級合格が目標の塾に1年通っても、まったくと言っていいほど文法は身につかなかったのです。

けれども、小学校6年生のとき、「車での移動中に英語で物語を聴き始めたこと」や「母から基礎の基礎をしっかり習ったこと」がきっかけで、英語が少しわかるようになりました。結果、5級を受けずに4級、次の回で3級に合格し、中学2年生の頃には2級まで合格することができました。

私のライフワークである「競技かるた」でも、同じことが言えます。

競技かるたは、まず札を覚えるところから始めるので、ハードルが高く見られがちです。ですが、そこを乗り越えてしまえばどんどん楽しくなります。とくに四段以上のA級になれば、ただ速く札を取るだけの競技から、相手との駆け引きが多く生まれる戦略的な競技に変わっていきます。そうすると、競技が楽しく魅力的なものになっていくのです。

そうは言っても、自分がしなければならない勉強を、そのおもしろさがわかるまで続けるというのは難しいものです。

いきなり、「絶対続けよう！」と強く意気込みすぎてはいけません。強く意気込むことがなぜいけないかというと、続けられなくなったときの落胆が大きく、再び新たなことにチャレンジしようとする気持ちが失われてしまうからです。

勉強を中断してしまったことで、自分を責める必要はまったくありません。

「途中までやった」ということには、大きな意味があるのです。

誰しもこれまでにやろうとして始めたけれども、最後までやりとげることができなかった勉強の1つや2つはあると思います。

その勉強をまたやりたいと思ったとき、あなたはまったくのゼロから始めるよりもスムーズに勉強に入れるはずです。

何がきっかけでスイッチが入るかはわかりません。本当に**些細なきっかけでモチベーションが一気に高まり、その勉強に没頭できるようになる**こともあります。

だからこそ、「最初の一歩」を踏み出し、「ちょっとやったことがある」という状態のものは、増やせば増やすほどよいのです。

最初は誰もが初心者です。途中でやめてしまっても、「またいつかタイミングが来る！」とポジティブに考えるようにしましょう。

東大生・京大生に多い丸暗記グセ

テレビ番組『最強の頭脳 日本一決定戦 頭脳王』（日本テレビ系）に出演した私は、アメリカの第16代大統領エイブラハム・リンカーンのゲティスバーグ演説の冒頭第一文を英語で披露しました。じつは冒頭だけでなく、全文暗唱することができます。

その全文は、このようなものです。

Four score and seven years ago, our fathers brought forth on this continent a new nation: conceived in liberty, and dedicated to the proposition that all men are created equal. Now we are engaged in a great civil war ... testing whether that nation, or any nation so conceived and so dedicated ... can long endure. We are met on a great battle-field of that war. We have come to dedicate a portion of that field as a final resting place for those who here gave their lives that this nation might live. It is altogether fitting and proper that we should do this. But, in a larger sense, we can not dedicate ... we can not consecrate ... we can not hallow—this ground. The brave men, living and dead, who struggled here have consecrated it, far above our poor power to add or detract. The world will little note, nor long remember, what we say here, but it can never forget what they did here. It is for us the living, rather, to be dedicated here to the unfinished work which they who fought here have thus far so nobly advanced. It is rather for us to be here dedicated to the great task remaining before us ... that from these honored dead we take increased devotion to that cause for which they gave the last full measure of devotion ... that we here highly resolve that these dead shall not have died in vain ... that this nation, under God, shall have a new birth of freedom ... and that government of the people ... by the people ... for the people ... shall not perish from the earth.

—Abraham Lincoln

これをすべて丸暗記しており、クイズで問われた瞬間に第一文を誦《そらん》じたことがきっかけでみなさんから注目していただくようになり、本の執筆や学習塾経営にもつながっていきました。

私はもともと丸暗記をするのが好きで、好きな漫画の気に入ったシーンなどもセリフを全部覚えて自分で再現していました。自分では変わった趣味だと思っていて、とくに頭のいい人の特徴だとも思っていなかったのですが、『さんまの東大方程式』に出演したとき、その考えは一変しました。

ある東大生が、アニメ『名探偵コナン』の第○話、第■話、第△話と指定したシーンを全部覚えていて、その場で再現したのです。

ある京大生は、ＵＳＪのアトラクションの最初の口上を全部覚えていましたし、別の東大生はディズニーランドの口上を披露していました。

すると、それを聞いていたほかの出演者が「私も○○が言えます」「私も」と、次々と言い出しました。あまりにもみんなが言い出すので収拾がつかなくなってしまったくらいです。

そのとき、思ったのです。**丸暗記グセは、決して変わった趣味ではなく、東大生・京大**

生にとっては当たり前のことなんだ、と。出演者たちの間にも「みんな丸暗記が好きなんだね」という共感の空気が広がっていました。**頭のいい人は覚えることに魅力を感じているんだ**と改めて感じたできごとでした。

普通ならとても覚えられないような量を、なぜそこまで丸暗記できるのでしょうか。

答えは単純明快です。

好きだから、です。

好きだから楽しくて没頭し、楽しみながら覚えてしまうのです。

これは何も頭のいい人に限ったことではなく、たとえば、ものまね芸人などもそうでしょう。ものまねする相手のことが好きだからこそ、より本人に近づこうと研究を重ね、長いセリフも覚えられるのだと思います。その過程は決して苦ではなく、楽しいもののはずです。

学生時代、友人たちと家で麻雀をしているときに、私は麻雀漫画が原作のアニメ『闘牌伝説アカギ』の第1話のナレーションを丸暗記してしゃべっていました。24分ほどもある長いセリフを淀みなく言うので、みんなが「すごい！」と盛り上がり、楽しくてしかたがなかったという思い出があります。

本当のことを言えば、漫画の1シーンを丸暗記しても何の意味もありません。ただの自己満足といえばそれまでです。

けれども、この覚えることの快感、楽しくて没頭する感覚は、勉強で何かを覚えるときに必ず役に立ちます。

漫画でもドラマでも、好きなものを丸暗記してみてください。

そもそも勉強だったら、大事な箇所だけ覚えておけばいいのですから、丸暗記できる力があれば、勉強なんて楽勝なのです。

やらなくてはいけないことほど、短時間で済ませている

何かにのめり込んでいると、そこにできるだけ時間を使いたいと思うのは当然です。それは裏を返せば、それ以外のことにはできるだけ時間をかけたくないということです。そこで、どうしてもやらなくてはいけないことは、短時間で効率よく済ませる必要が出てきます。

私の周りには、**やらなくてはいけないことをできるだけ短時間で済ませる**ことに努力を惜しまない人たちがたくさんいます。そして、その「短時間で済ませる」度合いが、普通の人に比べてかなり振り切れているケースが多いのです。

たとえば、京大の後輩の女性は、競技かるたと、大学院での微生物の研究という2つの

大きなものに没頭しています。

彼女のすごいところは、出かけるギリギリまで寝ていて、10分間で身支度をして家を出られることです。一般的には、女性だったら最低でも30分はかかるでしょうが、たった10分で着替えてある程度メイクもして外出できるのには驚かざるを得ません。

おそらく、やりたいことに時間をかけたいがために、自分なりの効率のいい技を編み出したのだと思います。

私自身の例で言うと、男性の後輩と「シャワーを何分で浴び終えることができるか」というチャレンジをしたことがあります。

私は今のところ2分30秒という記録を持っていますが、もっと短縮できないかを今でも常に考えています。どうしてもやらなくてはならないことほど、そこで手を抜くのではなく、できるだけ短時間で終わらせる効率的な方法を自分で考えるべきです。

ちなみに私は、着る服も1パターンに決めています。「何を着よう」「組み合わせをどうしよう」と考えることに、エネルギーと時間を無駄に使いたくないからです。これはみなさんご存じ、スティーブ・ジョブズにインスパイアされてのことです。

このようなことを積み重ねていくと、やりたいことをする時間がどんどん増えていきます。

「やりたいことがあるのに時間がない」と言う人がよくいますが、私からすると意味がわかりません。

時間は、皆平等に24時間与えられています。あとは、その24時間をどう使うか。よく言われていることではありますが、真剣に時間について考えたことがある人はとても少ないように感じます。

逆に言うと、時間についてもっと深く考えれば、それだけで周りに差をつけることができるのです。

続けていること自体が快感になっていく感覚を持つ

コツコツと続けることは、地味です。

私もずっとそう思っていました。

その意識が変わったのは、前にもお話しした12キロのダイエットに成功したときです。

最初はしんどくて、コツコツと続けることは自分には向いていない、苦手だと思っていたのに、あるときから「こんなに続けられる俺、すごい！」と思うようになり、地味に続けることが快感へと変わっていきました。

地味×コツコツ＝快感

普通の人にはなかなかわかりにくいことかもしれませんが、このできごとによって、私のなかではこの方程式が実証されたのです。

「コツコツのコツ」というブログを書いている手帳カウンセラーのコボリジュンコさんは、10年以上1日も欠かさずブログを毎日更新し続けています。

もともとは三日坊主で続かない性格だったのに、いつのまにか地味にコツコツ続けることが得意になったそうです。

飽き性の性格が変わったわけではなく、続けるコツをつかんだだけとのことですが、ここにも快感の感覚が潜んでいるのではないでしょうか。

快感のポイントの一つは、「自分で自分をすごいと思う」感覚です。人から褒められてうれしいと思うこともあるかもしれませんが、それはあくまでも後からついてくること。**「こんなに続けられている自分ってすごい！」と、自画自賛することが快感につながります。**

もう一つ、プラス材料となるのが**「成果が目に見える」**ことです。

ダイエットも何キロ痩せた、ブログも何日続いた、という数字が見えるから「もっと続けよう、頑張ろう」という気持ちになります。勉強でも、やった時間やページ数を書いていく方法をお教えしましたが、やったことが数字として表れることはモチベーションアップにつながります。

このような感覚は、「貯金」をイメージするとわかりやすいと思います。コツコツとお金を貯め、通帳を見て思わずニンマリした経験は、みなさんにもあるのではないでしょうか。もともと日本人は、地味にコツコツと積み上げていく作業が得意な民族なので、勉強もコツコツやることが絶対にできるはずなのです。

どんなものも、2週間続くと「習慣」になると言われています。

2週間でなくても、最初はとりあえず3日でもかまいません。次は1週間、2週間と伸ばしていってみてください。

続ける快感がわかったら、もう勉強が大変だなんて思わなくなります。頭のいい人は、コツコツ続けることの快感を知っているのです。

カンニングペーパーを本気でつくる
――目的を変えて勉強する

勉強自体を楽しむことが没頭のキーワードであり、それができたら最強ということをこれまでお伝えしてきました。

それがどうしてもできないときは、勉強の過程を楽しめるものに変えてしまうという方法があります。最後にお教えするのは、そのとっておきのやり方です。

高校生のとき、私は化学をほとんど勉強していませんでした。

もともと興味もなく、受験でも使わない科目だったからです。

授業は後ろのほうの席でこっそり内職をしながら乗り切っていましたが、試験となると赤点を取るわけにいきません。

試験の前日、私と友人は「いっそカンニングペーパーを作ってしまおうか」と話し合い、消しゴムに書く方法、小さな紙に書いてバレずに見る方法などを徹底的に実験しました。

小さなスペースに書くには、公式を選別しなくてはならず、大事な要点もまとめなくてはなりません。どこを書いておけば点数が取れるのかを自分で考え、まとめる必要があります。

その作業をしている時点で、結果としてちゃんと勉強していることに途中から気づき、試験ではカンニングをすることなく、普通に点数が取れてしまいました。

点数を取ることではなく、**カンニングペーパーをつくることに目的を変えたら、勉強ができてしまった**のです。しかもその過程は、とても楽しいものでした。

もちろんカンニングペーパーをつくるのはいいことではありませんが、どうしても勉強に没頭できないのだったら、それくらいふざけて楽しんでしまえばいい、と私は思っています。

目的も、勉強から遠ざかってもいいのです。「好きな子にもてたい」でもいいですし、第3章でお話しした「コミットメント契約」のようにご褒美を設定して、それのために頑張るのでもかまいません。そうやって目的を変えているうちに絶対楽しくなってきます。

本書では、目的を変えて勉強することで没頭のきっかけにする方法をいくつか紹介してきました。

本来の目的は、「合格する」「点数を上げる」です。それを達成するために最も大切なのは、小手先の技術ではなく「没頭する」「楽しむ」ことです。そのための、勉強をおもしろく楽しむためのノウハウをたくさんお伝えしてきました。

私のノウハウ以外のやり方でも、もちろんかまいません。アイデアを思いついたら、とりあえず実践してみてください。自分のモチベーションに火がつく方法がきっと見つかるはずです。


大切なのは、「おもしろきこともなき世をおもしろくする」の精神です。

私も、目的を変え、おもしろいやり方を思いつきながら勉強をしてきて、「人に教える」という職業に就くに至ったのです。大学を卒業しても、教えることを通して勉強と関わることができ、今でも楽しくてしかたありません。

まじめに、求められていることだけをやるのが勉強ではありません。

どうせやらなくてはならないのだったら、全力でふざけて、全力で楽しんでやってみてください。

勉強も人生も、楽しんだ者勝ちです。

おわりに

私は中学生のとき、「勉強法」にハマりました。学校帰りには必ず駅の書店に立ち寄り、勉強法と名のつく本であれば、片っ端から買いあさりました。

ついには心理学や脳科学など、およそ中学生、高校生が読むようなものではないものにまで手を出し始め、大学1年生になるまでに約500冊の関連書籍を読むに至りました。

その後、オンライン個別指導塾「条原学園」を開校し、小学生から大人まで、受験勉強やさまざまな資格試験に挑戦する方に勉強法を教えてきました。

しかし、勉強法の指導を開始してまもなく、当時大学1年生だった私にショッキングなことが起こります。

効率のいい勉強法を教えても、成績が伸びずに条原学園を辞めてしまった受講生がいたのです。

私がこれまで考えていた「効率のいい勉強法さえ知れば、誰でも成績が上がる」という考えは打ち砕かれました。

そこで私は考えました。誰でも勉強ができるようになって、成績が上がる方法はないのだろうかと。

幸いなことに、私は競技かるたやいくつかのスポーツで結果を残していましたし、私が入学した京都大学には優秀な方がたくさんいました。

また、「最強の頭脳 日本一決定戦 頭脳王」（日本テレビ系）に出演した際には、とんでもなく優秀な東大生、京大生と、友だちになることができました。ヒントはこれらの中に必ずある、そう思いました。

そしてたどり着いた答えが、「没頭」でした。没頭すれば、誰でも何でも成果が出せる。そう考えたのです。

私が成果を上げてきたものを考えてみると、すべてそのことに没頭していたことに気づきました。

競技かるたで実力が一気に上がったときは、寝ても覚めても競技かるたのことばかり考えていました。車の中では常にかるたのCDを流し、家に帰れば一人で札を並べて払いの練習をしていました。

私の周りの京大生、東大生もそうでした。とにかく没頭する、のめり込む力が強い。これこそが、勉強で成果を出すポイントではないか、そう思いました。

効率のいい勉強法は、目標を達成するために必要です。けれども、それより大事なのは、どれだけ情熱を持って、勉強に没頭できるかということ。そのような意識に変わってから、条原学園の受講生にも大きな変化が表れました。受講生の成績が、驚くほど上がるようになったのです。

本書には、勉強に没頭し、目標を達成するための方法を詰め込みました。私の知識のうち、本当に効果のあるものばかりを書いたつもりです。本書があなたの目標達成のお役に立てることが、私の何よりの喜びです。

また、本書の執筆に当たり、ダイヤモンド社の武井さんと、狩野さんには大変なご助力をいただきました。お二人がいなければ、本書は完成しませんでした。この場を借りて、感謝申し上げます。

条原圭太郎

2020年1月

参考文献

- 『勉強にハマる脳の作り方』篠原菊紀著、フォレスト出版
- 『齋藤孝の30分散歩術』齋藤孝著、実業之日本社
- 『自分を操る超集中力』DaiGo著、かんき出版

［著者］

粂原圭太郎（くめはら・けいたろう）

京都大学経済学部経済経営学科卒業。高校時代は平均偏差値80、最高偏差値95を出し、京都大学に首席で合格。2014年から3年連続で「最強の頭脳 日本一決定戦！ 頭脳王」（日本テレビ系）FINALISTになり、一躍人気に。小学生の頃より競技かるたを始め、現在八段。2019年1月には競技かるたの日本一、第65期名人の座につき、翌年も名人位を防衛。現在は論理力、記憶力、没頭力を同時に上げるエキスパートとして全国各地で講演活動も行っている。オンライン個別指導塾「粂原学園」の代表講師として、学生から社会人まで受講生95％の成績アップに成功する。「1か月でTOEIC®550点から750点にアップ」「1年で偏差値35が70にアップし、一流大学に合格」「3か月で定期テスト200位から2位に浮上」など、1on1指導が好評を博している。

●粂原圭太郎公式LINE

偏差値95の勉強法

——頭のいい人が知っている「学びを自動化する技術」

2020年２月12日　第１刷発行

著　者——粂原圭太郎

発行所——ダイヤモンド社

〒150-8409　東京都渋谷区神宮前6-12-17

http://www.diamond.co.jp/

電話／03･5778･7236（編集）　03･5778･7240（販売）

装丁———三森健太(JUNGLE)

本文デザイン—大谷昌稔

製作進行——ダイヤモンド・グラフィック社

印刷・製本—勇進印刷

編集協力——狩野南

編集担当——武井康一郎

ISBN 978-4-478-11006-5